翔んだ！
さいたま市の
大逆転

“選ばれる都市”には理由がある

Takeuchi Kenrei
竹内謙礼

PHP

翔んだ！
さいたま市の
大逆転

“選ばれる都市”には理由がある

Takeuchi Kenrei
竹内謙礼

PHP

はじめに

「大宮のほうが恵比寿よりも上だからね」

久しぶりに会った学生の頃の友人が、突然、訳の分からないことを言い出した。場所は大宮駅周辺の居酒屋。さいたま市出身の彼の気持ちは理解できるが、いくらなんでも「大宮のほうが恵比寿よりも上」は言い過ぎである。酒にでも酔っているのだろうか？

私は小中高を千葉県内で過ごし、その後、埼玉県内の大学に進学した。埼玉県内には知り合いが多く、特に大宮駅周辺には友人がたくさん住んでいた。目の前にいる知人もその一人だった。

そこで飛び出したのが、「大宮のほうが恵比寿よりも上」という言葉だった。私が学生の頃は、まだ「さいたま市」は存在しておらず、大宮市と浦和市と与野市の3つの市に分かれていた。その当時の大宮市の印象を言わせてもらえば、「田舎でちょっと賑《にぎ》わっている街」という一言に尽きた。駅前はごちゃごちゃしていて、道幅は狭く、駅から少し離れれば畑や田んぼが広がる長閑《のどか》なところだった。私の実家が千葉県の、さらに東京寄りの市川市だったこともあり、「やっぱり埼玉はダサイタマだ」という思いしか抱《いだ》かなかった。

それから30年以上の月日が流れ、時代も街も大きく変わった。私が見下していた3つの市は合併し、2003年に政令指定都市になった。自分自身が埼玉県内に住んでいたり、会社勤めをしていたりすれば、もう少し街の変化に気づいたかもしれない。しかし、大学卒業後は東京の出版社に勤めてしまったこともあって、さいたま市は私にとって、縁もゆかりもない地になってしまった。

その後は仕事の関係で千葉県の田舎町に引っ越してしまい、さらにさいたま市は私にとって無関心の街になった。当然、時間は学生時代の頃で止まったままだ。大宮駅に新幹線が止まろうが、浦和レッズが優勝しようが、さいたまスーパーアリーナに人が集まろうが、私の中では、「はいはい、そうですか」ぐらいの対象の街でしかなかった。

知人の「大宮のほうが恵比寿よりも上」という発言に疑心暗鬼になっていると、ほろ酔い気分の知人がスマホの画面を見せてきた。

【SUUMO　住みたい街ランキング2023】（首都圏居住の20~49歳の1万人を対象に

リクルートが実施）

1位／横浜
2位／吉祥寺
3位／大宮
4位／恵比寿
5位／新宿

そんなバカな！　ランキングをさらに探ると12位には旧浦和市の「浦和」があり、22位には旧与野市の「さいたま新都心」があった。一方、私が学生の頃にさいたま市よりも都会だと思っていた実家のある市川市の街はランクインすらされておらず、同じ政令指定都市である千葉市の「千葉」ですら32位という有様だった。

２０１９年のヒット映画『翔んで埼玉』で、さんざんイジり倒されていた埼玉県の中核都市のさいたま市が、千葉県どころか、名だたる東京都内の都市を抑えて人気の街として注目されていた。さいたま市は交通の便がいいし、東京よりも安い地価で住宅が買えるメリットがあることは理解できる。しかし、その条件であれば、神奈川県や千葉県にも似たような街はたくさんある。首都圏を探せば、東京に近くて安い地価の街などどこにでもあると言っていい。

『SUUMOジャーナル』が2023年6月に公開した、東京駅まで電車で30分以内の家賃相場が安い駅のランキングデータによると、1位は千葉県の「南船橋」の5・4万円、2位は東京都江戸川区の「葛西臨海公園」の5・8万円。対して、「浦和」がようやく30位にランクインしているが、家賃は7・13万円と決して安いわけではない。

大宮駅前にはそごうと高島屋、浦和駅には伊勢丹やアトレ、パルコがあり、その周辺にはオシャレなカフェがたくさんある。買い物に便利な街であることも人気の理由のひとつだと思うし、ターミナル駅として各路線に自由に乗り換えができることも魅力といえる。しかし、交通の利便性だけでいえば、横浜もあるし、買い物であれば東京23区のほうが圧倒的に立地条件で有利である。それなのに、なぜ、あえて人は「さいたま市」に住もうとするのか？

知人にマウントを取られてからというもの、私は暇さえあれば、さいたま市の情報をかき集めるようになっていた。たとえるなら、クラスで目立たなかった子に突然、トップアイドルとしてデビューされたような気分である。なぜ、さいたま市が首都圏を代表する人気都市になったのか、その経緯を知りたくなった。

そして辿《たど》り着いたのが、一般財団法人日本総合研究所が2年ごとに発行している「全47都道府県幸福度ランキング２０２２年版」だった。


「さいたま市／政令指定都市幸福度ランキング　総合3位」


「幸福度ランキング」とは、人の幸福感を具体的に評価する尺度として、健康、文化、仕事、生活教育など、様々な指標のもとで評価したランキングである。さいたま市は全国20の政令指定都市の中で、3位の位置につけていたのだ。

ちなみに、私が住む千葉県の政令指定都市・千葉市は11位で、吉村知事の人気で注目されている大阪市は17位と下から3番目である。しかも、さいたま市は政令指定都市の調査が始まった２０１６年に1位を獲得、その後、２０１８年に2位、２０２０年に1位と、トップ3から一度も落ちたことがない。さらに細かい数字に目をやると、さいたま市の驚くべき評価が見えてくる。

少子高齢化の時代に、人口増加率は2位、しかも、給与が上がらないと嘆くサラリーマンが多い中で、勤労者世帯可処分所得は政令指定都市で1位である。つまり、富裕層が続々とさいたま市に集結しているのである。

こんな数字を見せつけられてしまうと、「ダサイタマ」という古い流行語にとらわれていたことが恥ずかしくなる。いかに自分が無知で頭が固く、田舎者だったのかということを思い知らされた。

ここで気になるのは「いつから」さいたま市が人気都市になったのかという点である。どこかのタイミングで大きな変化が起きたのではないかと思い、「全47都道府県幸福度ランキング」の政令指定都市の調査が始まった2016年、2018年、2020年の3冊のバックナンバーを取り寄せて検証してみることにした。

しかし、さいたま市の人口増加率は、2016年と2018年は4位、2020年、2021年は1位と、すでに2016年頃には人気都市としての地位を不動のものにしていた。しかも、勤労者世帯可処分所得に関しては、調査以来1位から一度も落ちたことはなく、その点からも、2016年にはさいたま市は人気都市になっていたことが分かる。

さらに過去のデータにさかのぼり、SUUMOの住みたい街ランキングの調査結果を追ってみることにした。

図表1　SUUMO 住みたい街ランキング2013~2023（著者調べ）

年	大宮	浦和	さいたま新都心
2013	15位	圏外	圏外
2014	23位	圏外	圏外
2015	16位	21位	圏外
2016	21位	圏外	圏外
2017	15位	19位	63位
2018	9位	10位	29位
2019	4位	8位	23位
2020	4位	10位	19位
2021	4位	8位	15位
2022	3位	5位	17位
2023	3位	12位	22位

調査した年によって審査の諸条件、リサーチ方法に若干の違いがあるものの、さいたま市を代表する「大宮」「浦和」「さいたま新都心」の3つの街がランキングに入り始めるのは2018年頃のようである。トップ10に入り始めた大宮に引きずられて、他の2つの都市の順位が大きく引き上げられている。

つまり、さいたま市が人気都市になったのは、2016年前後の可能性が高く、何かこの時期に大きく都市が転換する出来事があったことは間違いないようである。

経営コンサルタントという仕事柄、このような「なぜ」を放っておけない性分である。

そして、「住みたい人を増やす」という戦略は、ブランド価値を上げて、「消費者を増やす」という意味でも同じといえる。さいたま市の人気の秘密を探れば、もしかしたら、ユニークなビジネスのノウハウがてんこ盛りにあるかもしれない。これは、『日経ＭＪ』で中小企業の取材を５００社以上、10年間やってきた経験から断言できることでもある。

こんな下世話な理由で取材許可など下りるはずはないと思い、さいたま市にダメ元で企画書を送ったところ、想定外に「喜んで取材に協力しますよ」という前向きな返事をいただけた。

あっけなく取材許可が下りた理由は、私自身が国会議員や知事、市長の取材経験があることに加えて、ビジネス書を60冊以上執筆してきた実績が評価されたことは大いにある。しかし、それ以上に取材の背中押しになったのは、本書の発売予定が映画『翔んで埼玉』の第二弾『翔んで埼玉～琵琶湖より愛をこめて～』の上映と重なった点は、大きいといえる。

流行《はや》りものに便乗したいのは、さいたま市も私も同じようだ。まして「好きなように取材して、好きなように書いてください」と強気に出たさいたま市の対応に、洗いざらいに情報をさらけ出す、経営コンサルタントとしてのプライドに火がついたところも大いにあった。

さいたま市の行政の取り組みを通じて、民間企業に役立つマーケティング戦略や人材採用戦略、経営者のマインド設定などを知ることができれば、今までとは違った角度でビジネスの本質を捉えることができるかもしれない。

特に行政は多くの人が最も身近に感じるサービスであり、これらの成功事例を探ることは、自分自身が携わるビジネスのヒントとして、イメージがつきやすい利点もある。

「うちの街だと、さいたま市よりももっといいサービスができそうだ」

「うちの会社は、さいたま市のブランディング戦略よりも劣っている」

本書を通じて、官民問わず、新たな発見が必ずあるはずだ。

さいたま市の〝翔んだ〟理由を公開することで、日本全国の街と企業が元気になってくれれば、著者として嬉《うれ》しい限りである。

翔んだ！さいたま市の大逆転

目次

第1章 ところで「さいたま市」ってどんな街？

第2章 数字はウソをつかない　～決算書から読み解くさいたま市の強みと弱み

第3章 子どもの「英語力」を伸ばすと、なぜ、人口が増えるのか？

第4章 失敗しても何度でも立ち直れる街

第5章 さいたま市の0～14歳の子どもの人口が増える理由

第6章 スポーツは街の結束感と愛着心を高める

第7章 さいたま市に死角はないのか？ ～成長する政令指定都市の弱点を探る

第8章 市長は「政治家」か、それとも「経営者」か？

第9章 市長が語る、さいたま市が翔んで大逆転した理由

装丁――斉藤よしのぶ

第1章

ところで「さいたま市」ってどんな街？

さいたま市が人気の街になった理由を探る前に、まずは「さいたま市」がどんな街なのか理解を深める必要がある。

関東近郊に住む人であれば、なんとなくイメージができる都市ではあるが、それ以外の人にとったら、まったく馴染《なじ》みのない街と言ってもいい。この章では、実際に私自身がさいたま市をバイクで回った感想も踏まえて、市の紹介、区の見どころについて解説していきたいと思う。

※調査は国勢調査等のデータをもとに著者が2023年7月に行ったものである。

石垣島よりも小さく、岩手県よりも多くの人が住む「さいたま市」

埼玉県南東部に位置するさいたま市は、政令指定都市の中でも9番目の人口の多さを誇る街である。石垣島よりも小さい217・4平方キロメートルの土地に、岩手県の人口よりも多い134万人が住むことからも、この街の人口密度の高さが窺《うかが》える。

人口が密集する理由のひとつに、交通の便の良さが挙げられる。大宮駅には新幹線6路線が集結し、JR在来線は京浜東北線、埼京線をはじめ、私鉄も合わせて計13路線が乗り

芝川と見沼田んぼ。遠方に見える高層ビル群がさいたま新都心

入れる。その数は東京駅に次いで全国で2位。東京以北最大のターミナル駅であり、東京駅や新宿駅まで約30分で乗り入れられる利便性から、都内勤めのサラリーマンが多く住むことも、さいたま市の特徴のひとつといえる。

高速道路は東北自動車道、東京外環自動車道が縦横に走り、首都高速埼玉大宮線も東京都心と直結している。そのため、さいたま市内のインター周辺には物流拠点が多く、国道では大型トラックの往来が目につく。車移動の利便性の高さに惹《ひ》かれる市民も多く、さいたま市在住の人に取材をすると、電車や車を使えば、東京だけでなく、東北、神奈川、千葉にも自由に行き来できることが、この街の魅力だと答える人も少なくない。

一方、街の中心部から少し離れると、自然豊かな「見沼田んぼ」が広がっている。その敷地面積は東京都中央区よりも広い１２６０ヘクタール、さいたま市の見沼区や浦和区などの５区にまたがり、巨大な緑地空間を形成している。

さいたま市に対して田舎っぽい印象を持つ人が多いのは、おそらく、この広大な見沼田んぼが要因だと思われる。都心部からこれだけ近く、広々とした田園風景を持つエリアはそう多くない。さいたま市をバイクで走れば、他の都内近郊の街と比べて、川や緑、畑が多いことに気づかされる。

その自然に囲まれた立地を生かした、緑地と広い面積を有する公園が多いのもさいたま市の特徴である。歴史的な遺構や建造物も多く点在し、週末になると市外からウォーキングや散策に訪れる人も多い。

簡単にさいたま市の歴史を振り返ってみる。２００1年に浦和市、大宮市及び与野市の3市が合併。２００3年に政令指定都市になり、さらに２００５年に岩槻市を編入、今の「さいたま市」が誕生した。鉄道の街として栄え、商業都市として成長した「大宮」と、古くからの県庁所在地であり、県内屈指の進学校・浦和高校がある「浦和」を中心に、10

図表2 さいたま市の位置

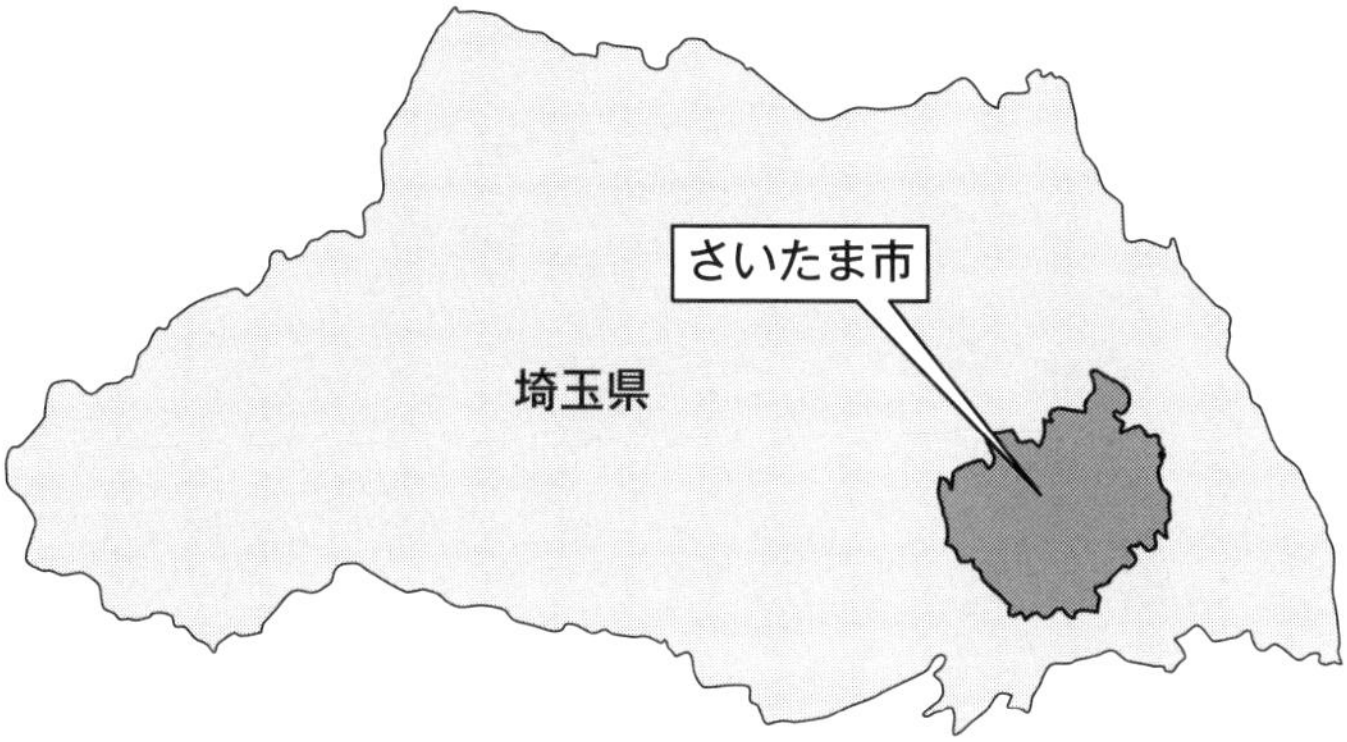

図表3 さいたま市行政区

区の行政区でさいたま市は構成されている。

駅前では大規模な再開発が進み、公示地価上昇率の高さも目立つ。２０２３年６月に東京商工リサーチが発表した首都圏１都３県の不動産業における「活性度」の調査でも、１位が東京都港区で、２位にはさいたま市大宮区がランクインしている。このデータからも、駅前再開発や交通インフラの拡充で利便性が増していることが窺える。

もうひとつのさいたま市の「顔」といえば、サッカーである。明治時代に埼玉師範学校（現在の埼玉大学）に蹴球部が創設されたのを機に、静岡、広島に並ぶ、サッカーが盛んな街として全国に知られるようになった。市内には浦和レッズと大宮アルディージャの２つのＪリーグのチームを有し、サッカーが街の文化として根付いている。海外のプロサッカーチームを招聘《しょうへい》する試合「さいたまシティカップ」は大きな盛り上がりを見せる。

大規模イベントが開催される会場を多く持つのもさいたま市の特徴といえる。サッカーのワールドカップが開催された「埼玉スタジアム２〇〇２」や、スポーツの国際大会や人気アーティストのコンサートが開催される「さいたまスーパーアリーナ」という日本を代表する大型施設が市内にある。

最後に「政令指定都市」という言葉にも触れておきたい。

埼玉スタジアム2○○2は浦和美園駅から徒歩15分

さいたまスーパーアリーナ。最大3万7000席が使用できる国内最大級の多目的アリーナ

さいたま市を含め、全国には政令指定都市と言われる自治体が20都市ある。指定要件は人口50万人以上と定められており、事務処理能力の高さや産業別就業比率など、大都市にふさわしい機能を満たすことで、政令指定都市として認められている。

政令指定都市の最大のメリットは、都道府県を介さず、独自の政策が実施できる点である。福祉や教育、土木などの街づくりの権限が都道府県から譲渡されるため、街の風土に合ったオリジナルの政策をスピーディに実行することができる。

また、市民に能率的なサービスを行う「区」を設置するため、きめ細かい行政サービスが市民に行き届くのも、政令指定都市ならではのメリットといえる。

一方、都道府県と政令指定都市の両方が行政権を持つため、二重行政に陥りやすいデメリットもある。知事と政令指定都市の市長が侃々諤々《かんかんがくがく》になるニュースが世間を騒がせることも多く、その逆に、大阪府と大阪市のように、同じ政党の首長同士で政策を効率よく回すケースもある。

このように、政令指定都市は独自の政策を打ち出すことができて、なおかつ街の活性化にも力を入れることができる。半面、独自でアイデアを出して、新しい政策にチャレンジしていく行動力が市職員になければ、政令指定都市としてのメリットを生かせないところがある。

場合によっては「ただ人口が多いだけの街」という、不名誉なレッテルを貼られることにもなりかねず、市職員の人材の採用と育成が、ダイレクトに市政の能力に反映されるのもまた、政令指定都市の特徴のひとつといえる。

さいたま市の紹介はざっとこんなところである。次はさらに細分化し、さいたま市を構成している行政区10区について解説していきたい。

行政と教育の街「浦和区」

浦和区は江戸時代に中山道浦和宿が置かれたのを機に発展、その後、明治初期に県庁が設置され、現在でも市役所をはじめとした県等の官公庁や文化・教育施設が多いことから、行政の街としての印象が強く残るエリアである。

一方、浦和区のもうひとつの特徴は、「文教のまち」の一面である。関東大震災を機に東京からの移住者が増え、その中に画家を中心とした文化人が多かったことから、教育と文化が街に根付いていった。公立進学校の「浦和高等学校」や「浦和第一女子高等学校」

埼玉県立浦和高等学校。取材時には文化祭の準備が行われていた

をはじめとした人気の学校も多く、行政区の中でも最も教育への意識が高い街といえる。

人口は約16万人と市内では3番目に多く、自治会を中心に地域コミュニティが発展している。区内にある12の公民館や浦和コミュニティセンターでは区民の様々な活動が行われており、ボランティア団体やNPO、市民活動ネットワークなどの自発的な活動も盛んである。文教のまちという一面に加えて、〝浦和〟という埼玉サッカー発祥の地としてスポーツのつながりが強い特性から、区民の結束と愛着が強い街といえる。

区内には南北に国道17号、旧中山道や産業道路が、東西には国道463号が伸びて道路体系の骨格を形成している。またJR線の3

駅（浦和駅、北浦和駅、与野駅）を有し、中でも浦和駅周辺は商業・業務機能や行政機能が集積し、大宮駅周辺とともにさいたま市の都心として発展してきた。駅を境に西側にはオフィス街、東側には緑の多い閑静な住宅街が広がり、賑わいと潤いが共存する街として若い世代の夫婦からも人気の高い地区といえる。

鉄道と商業の街「大宮区」

古くは武蔵一宮《むさしいちのみや》氷川《ひかわ》神社の門前町、中山道の宿場町として栄えた大宮区。１８８５年に大宮駅が開設されたのを機に鉄道の街として人口を増やし、現在は東日本の鉄道網の要衝となっている。また、高速道路をはじめ、国道17号や旧中山道などの道路交通網が発展しており、電車と車の両面の利便性の高さが大宮区の特徴といえる。２０２１年の経済センサスの調査によると、大宮区の卸売業・小売業の年間の商品販売額は約１・７兆円となっており、埼玉県内の約1割を占めるほどの重要な経済都市となっている。

その大宮駅は東口と西口でまったく別の顔を持つ。東口は武蔵一宮氷川神社の門前町として栄え、駅前には「南銀座通り」を中心に庶民的で雑多な飲み屋街が広がる。学生の頃

大宮駅東口の商店街。歩いているだけで雰囲気の良い居酒屋に引き込まれそうになる

は猥雑《わいざつ》な感じがして、あまり好きになれない商店街だったが、中年を過ぎた今の年齢になると、これほど愛おしさを感じる飲み屋街は、都内近郊でも他にないといえる。ほどよい道の狭さに低価格で料理の美味《おい》しい店が軒を連ね、この本を執筆する際も、取材と称する都合のいい理由をつけて、何度も足を運ばせてもらった。

一方、西口は総合コンベンションセンターの「大宮ソニックシティ」や大型プラネタリウムがある「JACK大宮宇宙劇場」のほか、商業施設やオフィス街が中心として栄える。大宮GCS（グランドセントラルステーション）化構想など再開発も進んでおり、数年後にはまた違った顔を持つ駅前になることが予想される。

商業都市の印象が強い大宮区だが、商業地域から一歩離れれば埼玉県内初の県営公園「大宮公園」の自然が広がる。第一公園から第三公園まであり、その大きさは67・８ヘクタール、東京ドーム約15個分にも達する。サッカー場やプールなども併設していることから、休日になると多くの親子連れで賑わう。

利便性の高さだけではなく、自然の豊かさでも若い子育て世代の夫婦に支持されていることが、「住みたい街ランキング」のトップ常連都市になっている所以《ゆえん》といえる。

なお、浦和と大宮は昔から人口や街の規模が似通っていることもあり、〝浦和vs大宮〟と対比されることが多い。

映画『翔んで埼玉』のワンシーンでも、大宮の人が「浦和と組みたくない」と言い出すと、浦和の人が「人が多いだけで埼玉の中心面をしているのが鼻につく」と口喧嘩《くちげんか》を始めるシーンが登場する。この２つの都市は昔からライバル意識が強く、メディアでもその関係性が面白おかしく取り上げられることが多い（ちなみに、映画では与野の人が喧嘩の仲裁に入ると、大宮と浦和の人から「すっこんでろ！」と怒鳴られている）。

このあたりの地域間対立も興味深い話だったので、今回の取材で市民、市役所職員、市

大宮駅西口。そごうやマルイなどがあり、ショッピングを楽しむ若い人の姿が目立つ

浦和駅西口。伊勢丹、コルソなどがある

議会議員、元新聞記者にヒアリングを行った。結論から言うと、「対立意識はまったくない」という回答がほとんどで、対立構造を煽《あお》ったほうが面白いというメディア側の意図を汲《く》み取り、市民もそれに乗っかっているところが現状のようである。合併から20年以上も経つことから、大宮と浦和のライバル意識はほとんどないと言ってもいい。

しかし、一部の意見として「年配者はまだ浦和、大宮のしこりを抱えている」「金融機関に『浦和支店』とつければ貯金してくれる人が増える」「市長が代われば、また大宮対浦和の対立が再熱する」などの意見もあり、火種は今もなお残っているというのが取材者としての率直な感想である。

市の中心となった旧与野市の「中央区」

さいたま市の中央からやや西寄りにある「中央区」。3市合併の際、一番小さな市だった与野市の全域がこの中央区に相当し、区域面積も10区の中で一番小さく、新宿区の約半分ぐらいの大きさしかない。

しかし、区の中央部を縦断する埼京線の3駅（北与野駅、与野本町駅、南与野駅）に加え

さいたま新都心のオフィス街。スーツ姿のサラリーマンが目立つ

て、区の東側には京浜東北線が2駅（さいたま新都心駅、与野駅）もあり、鉄道の利便性の高さは、さいたま市内の中でも随一といえる。

住みやすい住環境に加えて、商業施設や飲食店の豊富さから大宮駅、浦和駅に次ぐ人気の都市となっており、多目的大型施設「さいたまスーパーアリーナ」や複合舞台施設「彩の国さいたま芸術劇場」など、文化施設があることもこの区の特徴といえる。

さいたま新都心駅周辺は「大宮と浦和の間にある街」という印象が強く、今回の取材まで大都市のイメージを持っていなかった。しかし、足を運んでみると、駅周辺には大型ビルが立ち並び、大宮や浦和とは比較にならないほどのオフィス街を形成していた。〝新都心〟というだけあって、街の風景は東京都心部のオフィス街に近い。数年後にはさいたま市役所本庁舎がこの街に移転する理由にも納得がいく。

一方、与野本町駅から徒歩圏内にある与野公園にはバラ園が設置されており、毎年5月に開催される「ばらまつり」の時期を中心に、多数の来場者が足を運ぶ。また、本町通りには明治、大正期に建てられた蔵造りの住宅の街並みが残り、風情ある光景が今もなお色濃く残る。

なお、政令指定都市への移行の際、旧大宮市は「大宮区」、旧浦和市は「浦和区」と市の名称が残ったものの、旧与野市だけは「与野区」ではなく、「中央区」という名称になった。

2002年10月1日付の『産経新聞』によると、区名選定委員会で「与野区」にするか「中央区」にするか議論が紛糾したという。「浦和も大宮も地名が残るのに、なぜ与野をなくすのか」という意見がある一方、「与野は全国での知名度がなさすぎる」という意見が大多数を占め、結果、「中央区」が採決されたという背景がある。

現在、大阪市の大阪都構想の問題でも、区の再編で「慣れ親しんだ地名が消滅する」ということが度々議論として挙がっているが、今の時代にさいたま市が行政区の地名を審議していれば、「与野区」という名称が残っていたかもしれない。

東京に最も近く、人口が最も多い街「南区」

さいたま市の中で最も人口が多い区として栄える最南端の街「南区」。南北方向に京浜東北線と埼京線が走り、東西には武蔵野線が横切る形で位置し、これらが交差する2駅（武蔵浦和駅・南浦和駅）に加えて、中浦和駅の3駅が中心となって、市街地が構成されている。

区地域の50％以上が宅地として利用されており、荒川堤外地以外の場所に人口が集中している。武蔵浦和駅の南側には工場や物流施設が立ち並んでおり、新幹線に乗っていると、車窓から千葉ロッテマリーンズの二軍の本拠地「ロッテ浦和球場」やロッテの工場などが見えてくるのが、このエリアになる。

区民の間でも人気の高い別所沼公園は、他のさいたま市内の公園とは違う独特の雰囲気が漂う。整備された園内にはメタセコイアが生い茂り、その間を抜けるように散歩・ジョ

別所沼公園。整備された道をランニングやウォーキングをする人が行き交う

浦和駅140周年記念のイベントで掲げられた「浦和」が付く８つの駅名のプレート

ギングコースを設定。別所沼の水面に映り込む空と木を眺めながらの散策は、喧騒《けんそう》な街から距離を置きたい人にはお薦めの公園である。

ちなみに「浦和」という地名が付く駅は、浦和駅、北浦和駅、南浦和駅、東浦和駅、西浦和駅、武蔵浦和駅、中浦和駅、浦和美園駅と市内に8駅あり、その数の多さに加え、東西南北のついた駅名がすべて揃《そろ》っている。

狭いエリアでこれだけ同じ地名が駅名に使われるケースは珍しく、2022年9月8日付の『産経新聞』によると、浦和の「教育のまち」というイメージを使ったブランド戦略を展開したい駅の思惑があったのではないかと言われている。

首都圏とは思えない大自然の光景が広がる「見沼区」

この区の見どころは、区の名称にもなっている「見沼田んぼ」といえるだろう。広大な田んぼや畑、雑木林や河川によってつくられた田園風景は圧巻。片柳地区には加田屋新田《かたやしんでん》を開発した坂東家の旧宅「旧坂東家住宅　見沼くらしっく館」があり、復元された木造平屋の茅葺《かやぶ》きの建物が佇《たたず》む原風景から、見沼田んぼ周辺が豊かな農村だったことを窺い知る

旧坂東家住宅 見沼くらしっく館。展示室では当時の農機具や生活道具を見学することができる

ことができる。現在は無料で見学できる野外博物館となっており、当時の農家の生活用具や農機具などが展示されている。

その見沼田んぼは、見沼区を西から南、そして東へ縁取《ふちど》るように囲み、水と緑の豊かな街として人気を集める。10区の中で2番目の区域面積を持ち、北部には高層住宅群をはじめ、計画的に区画された市街地が広がり、都市機能と豊かな自然が調和した生活空間がこの街の魅力といえる。

区のほぼ中央を東武アーバンパークラインが東西に、北西部には宇都宮線が南北に伸びており、区内の3つの駅が大宮駅に直結している。駅前以外にも国道16号東大宮バイパスや第二産業道路などの沿線にも飲食店やスーパーマーケットが多く、車と電車の両方の便が良い街といえる。

一方、面積が広い区のわりには道路や公共交通の整備が不十分なところもあり、渋滞解消などが今後の街の課題といえる。

見沼区に限らず、さいたま市内には渋滞する道路が多い。私が学生だった30年前も渋滞が多い街という印象があったが、今回、改めて市内をバイクで走り、渋滞の酷《ひど》さは相変わらずだと思った。

しかし、さいたま市の渋滞は、街の道路の構造上の問題というよりも、人口密度に比べて車の通行量が多いことが最大の要因といえる。市の東西南北を大都市に囲まれているため、車の通過地点になりやすく、高速道路の出入り口が多いことから、大型トラックの往来が多いことで、必要以上に渋滞が起こりやすくなっている。

市内をバイクで走った個人的な感想になってしまうが、一車線の道路で右折を試みる車が多いことが気になった。対向車が通り過ぎるのを待つことで、頻繁にプチ渋滞が発生し、他の都市よりもストップ・アンド・ゴーが多い印象を受けた。勝手な推測になってしまうが、もしかしたら、さいたま市は他の都市よりも脇道、抜け道が多いのかもしれない。見沼田んぼが広域にあり、小さな河川に並行する小さな道路も多く、その道に入ろうとする車が多いことから、右折車を増やし、渋滞を引き起こしているのではないだろうか。

どちらにせよ、さいたま市の渋滞問題は道路の整備だけで改善するのは難しく、都市の立地や性質の影響を受けやすいものなので、渋滞解消にはまだまだ時間がかかりそうである。

人口が最も増えて活気がある街「緑区」

市の東部に位置する「緑区」。人口増加率が高く、都市として活気づく理由は２００１年に開業した埼玉高速鉄道「浦和美園駅」の利便性が大きく寄与している。赤羽岩淵駅から東京メトロ南北線に直通で乗り入れ、山手線に乗り換えられる駒込駅まで31分、永田町まで46分と、大宮駅周辺の駅とほとんど変わらない交通の便の良さが若いファミリー層に支持されている。

足を運んでみると、他の区とは明らかに街の雰囲気が異なる。浦和美園駅周辺の道路の幅は広く整備が行き届いており、ロードサイドには高級外車のディーラーが多いことか

浦和美園駅

駅の近くにあるイオンモール浦和美園。映画館が併設されている

ら、地域住民の所得の高さが窺える。東北自動車道の浦和ＩＣからも近く、浦和駅や大宮駅に行かなくても都内に出られることから、他の区よりも渋滞が少なそうである。

さいたま市内最大規模の土地区画整理事業として行われている「みそのウイングシティ」の開発によって、街はまだまだ拡張されていく気配である。新しい家が次々に建てられており、新しい分譲住宅地からは活気が漂う。駅から徒歩圏内にある「イオンモール浦和美園」をはじめ、ショッピング面でも利便性が高い街といえる。

浦和レッズのホームスタジアム「埼玉スタジアム２〇〇２」があるため、騒がしい街のイメージを持っていたが、実際に行ってみると住宅街からスタジアムは離れており、騒々しくなることはないと思われる。むしろ浦和レッズが好きで、みそのウイングシティに引っ越してくる若い夫婦も多いらしく、サッカーが人口増に寄与しているというレアな街ともいえる。

一方、区の南西側にある原山地区は、浦和駅まで自転車で行ける距離にあり、古くから住宅街として人気のエリアである。見沼田んぼを中心に自然豊かな環境の東浦和駅周辺の街並みや、市唯一の公立病院「さいたま市立病院」を構える三室地区など、様々な顔を見せるのも緑区の魅力といえる。

人口が増え続ける隠れた人気の街「西区」

区の中央部は川越線を挟んで市街地が広がり、その周辺には広大な雑木林と農地があり、さいたま市内でも自然が多く残されたエリアのひとつといえる。10区の中で最も人口が少ない区域となるが、人口増加率は高く、人気急上昇中の街である。

学生の頃に何度か指扇《さしおうぎ》駅に行ったことがあるが、当時は田舎町の小さな駅という印象しかなく、人口が増えていることがにわかに信じられなかった。しかし、実際に足を運んでみると、区内には美しい住宅街が至る所にあり、浦和美園駅のある緑区に引けを取らないほどの都市開発が行われていた。今回、さいたま市の一部しかバイクで回っていないが、個人的には10区の中で街並みが一番整っていたのは西区だという印象を持つ。

区内にある川越線の「指扇駅」と「西大宮駅」は、埼京線を通じて一部の電車は東京臨海高速鉄道りんかい線、相鉄線にも直通となっている。西大宮駅から新宿駅まで42分、渋谷駅には47分とダイレクトにアクセスできるだけではなく、新木場駅などのベイエリアや海老名駅など神奈川県方面にも直通で行けることは、さいたま市以南の駅と同等の魅力が

指扇駅。学生も多く利用する

西区の新しい街並み

あるといえる。

また、西大宮駅から大宮駅には2駅7分と短時間で到着することができて、大宮駅から上野東京ライン直通のJR宇都宮・高崎線に乗り換えれば東京駅にも39分でアクセスすることができる。10区の中でも家賃相場が安価で、「三橋総合公園」や「鴨川みずべの里」をはじめ、ファミリー層に人気の「秋葉の森総合公園」などの自然豊かな公園も多く、川越線の日進駅以西が複線化となれば、さらなる人口増が期待できる街といえる。

余談だが、西区にある漫々亭のスタミナラーメンを知人から薦められたが、取材当日はお盆休みで店舗は休み。機会があったら、食べに行きたいと思う。

河川に囲まれた大学の街「桜区」

桜区の中央部には国立大学の「埼玉大学」があり、約1万人の学生・教職員が教育、研究、社会貢献など様々な取り組みを行っている。学園都市としての一面を持つ一方で、鉄道駅として区の南端部に武蔵野線の西浦和駅があるほか、区境に近接して埼京線の南与野駅、中浦和駅もあり、東部と南部には住宅街が広がっている。

桜区にある埼玉大学の大久保キャンパス

文明堂のさいたまあおぞら工房。2階はラウンジで休憩スペースが設けられている

区内には荒川、鴨川、鴻沼川《こうぬまがわ》が流れているほか、荒川河川敷にはサクラソウ自生地としては唯一の国指定特別天然記念物「田島ケ原サクラソウ自生地」や、ハンノキ林等の樹林地など良好な自然環境が残されている。このサクラソウ自生地は、全国草原の里市町村連絡協議会より「未来に残したい草原の里100選」としても選ばれている。

また、このエリアにはお菓子メーカーの工場も多く、文明堂の浦和工場に隣接した直売所「さいたまあおぞら工房」では、訳ありのカステラや限定菓子を購入することができる。少し離れたところには、和菓子の「舟和《ふなわ》」の浦和工場直売店もあり、そこでは変わり種のどら焼きが食べられるほか、芋ようかんやあんこ玉などが販売されている。

10区の中でも人口増加率は低く、人口が最下位の西区との差はわずかしかない。図書館、ホール、地域住民の交流の場となる「プラザウエスト」や、新開地区にある「桜環境センター」の温浴施設などによる地域活性化で地域の魅力をアピールして、人口増を期待したいところである。

盆栽と漫画の街「北区」

大宮盆栽美術館。宇都宮線「土呂駅」より徒歩5分

市の北部にある「北区」は、旧大宮市の頃からベッドタウンとして発展した街である。現在でもJR東日本、埼玉新都市交通2路線7駅を有し、利便性の高さから人口の多さは10区の中でも上位に位置しており、大型商業施設も充実している。

北区は世界に誇る文化「盆栽」が有名である。関東大震災で被災した東京の盆栽業者たちが集団でこの地に移転してきたことが始まりで、昭和に入ると周辺地域で30軒もの盆栽園が開かれ、その後、「盆栽町」という正式な町名が与えられるまでになった。

盆栽町の中に一歩足を踏み入れると、どこの住宅も敷地面積が大きく、高級住宅街の雰囲気が漂う。〝盆栽〟という町名を持つだけあって、どの家の庭も草木の手入れが行き届いており、家賃相場も10区中でも上位であることから、「さいたま市の田園調布」と言われる理由にも納得がいく。

２００８年には「大宮の盆栽」がさいたま市の伝統産業に指定され、２０１０年に「さいたま市大宮盆栽美術館」が開業。２０２１年には来館者数が70万人に達し、国内外から観光客が足を運ぶ名所となっている。他にも日本最初の職業漫画家と言われる北沢楽天ゆかりの「さいたま市立漫画会館」や、市指定無形民俗文化財である「日進餅《もち》つき踊り」など、伝統的な文化財産に恵まれた一面もある。

なお、私が見学に行った当日は木曜日で、大宮盆栽美術館をはじめ、盆栽園はすべて休みだった。漫画会館も特別展示会が行われている日ではなく、簡易的な展示物を見るだけで終わってしまった。もし盆栽町に行く場合は、事前にホームページなどで定休日やイベントをチェックすることをお勧めする。

さらに若田光一宇宙飛行士の生まれ育った場所でもあり、母校である別所小学校には若田氏に関する資料が展示されている。

さいたま市最大の区であり、最後に合併した街「岩槻区」

10区の中で最も広い区域面積を持つ「岩槻区」。その面積は同じ県内の狭山市よりも大きく、人口も県西部の東松山市や坂戸市よりも多い。もともと「岩槻市」として独立していたが、２００５年より「岩槻区」となった。

区の中央には東武アーバンパークラインが東西に延び、岩槻駅、東岩槻駅が大宮駅と接続している。しかし、他の区のように東京都心と鉄道が直結していないため、人口の増加率は低い。埼玉高速鉄道の延伸による人口増を期待したいところである。

岩槻区は江戸時代に日光御成道《おなりみち》の宿場町として栄え、東照宮の造営や修築に携わった宮大工ら工匠たちが岩槻の地に住み着いたことから、「人形のまち」として栄えた歴史背景を持つ。岩槻駅の商店街を中心に人形店があり、その看板の多さからも人形がこの街の伝統文化であることが分かる。人形にちなんだイベントや祭りも開催されており、毎年8月に行われる「岩槻まつり」では、華やかな人形パレードが行われ、15万人を超える見物客で賑わいを見せる。

岩槻人形博物館。館内は30分ぐらいで見学することができる

にぎわい交流館いわつきにある「ヨロ研カフェ」では地元のヨーロッパ野菜が販売されている

人形の歴史と文化を発信する「さいたま市岩槻人形博物館」では、人形の歴史や文化を学ぶことができる。入館料は500円。3つの展示室に分かれており、じっくり回っても30分ほどの小さな博物館だが、普段目にすることのない歴史的な人形の展示物は見ごたえがある。

農業も活発なエリアで、米をはじめ、小松菜やネギなどの野菜類のほか、シクラメンなどの花の苗木の生産などが盛んである。スティッキオやゴルゴなどのヨーロッパ原産の野菜などが数多く栽培されている。先述した岩槻人形博物館のすぐそばの「ヨロ研カフェ」では、地元農家で作るヨーロッパ野菜が販売されているほか、野菜料理や野菜スムージーなどを食することができる。

以上がさいたま市、及び市を形成する10区の解説である。さいたま市の全貌がイメージできたところで、次はさいたま市の決算書の「数字」を読み解き、市がどのような政策に力を入れて、どのような都市計画を立てているのかを探っていきたい。

第2章

数字はウソをつかない
～決算書から読み解く
さいたま市の強みと弱み

誰でも閲覧することができる自治体の決算書

統計データやお客様のアンケート結果などは、見せ方や表現を工夫すれば、誤魔化しがきくところがある。発表した人の都合の良いようにデータを見せることはいくらでも可能であり、数字を使った情報のコントロールは、さほど難しいことではない。

一方、企業の決算書の数字は、誤魔化しようがないところがある。経営者がいくら「儲かっています」と言っても、決算書を見れば儲かっていないことが明らかになることは、コンサルティングの現場ではよくあることである。ビジネスモデルのどこに問題があり、経営戦略の何が間違っているのかを把握するには、決算書を読み解くのが手っ取り早い。

全国の市町村では、ホームページ上で決算データが公開されている。民間企業とは数字の出し方に若干の違いはあるものの、およそ「こんな財務状況なんだ」というのは、誰でも容易に閲覧することができる。

今回、さいたま市の２０２１年度の一般会計決算のデータをもとに、どこの政策にポイントを置いて取材を進めればいいのか探ることにした。

数字の話が度々飛び出してくるので、若干、話が分かりづらくなる印象を受けるかもしれないが、できるだけ分かりやすく解説するので、最後まで一読していただきたい。

さいたま市の財政状況は健全なのか？

最初に着目したのが「経常収支比率」である。企業の資金繰りの実態を示す指標のひとつであり、民間企業でいえば、１年間の企業の資金収支を評価するものである。経常収入を経常支出で割ったものに１００を掛けたものが、この数字になる。

この話はサラリーマンの給与にたとえると分かりやすい。給与が「売上」で、生活費が「販管費・経費」と考えれば、生活費が給与を上回れば、家計が破綻するのは明らかである。もちろん、会社経営はサラリーマン家庭のように毎月決まった売上が立てられるものではなく、支払いも数カ月先のものもあるので、単純に計算できるものではない。しかし、収入を支出が上回れば、家計が回らなくなることは簡単に理解できることであり、これを数字で表したのが「経常収支比率」ということになる。

たとえば、経常収支比率が「２００％」といえば、収入が支出の2倍あるから安泰ということになる。その逆で、経常収支比率が「50％」になれば、収入が支出の2分の1しかないので、家計はかなり苦しい状況ということになる。

収支がプラスであれば、収入のほうが多いのでフローがうまく回っているということであり、マイナスであれば、支出のほうが多いのでフローに問題があるということになる。先ほどの家計の話にたとえれば、夫の月収が30万円しかないのに、ギャンブルに50万円使っていたら、妻に「いい加減にしてよ！」と怒られるのが、いわゆる〝フローに問題がある〟ということになる。

この経常収支比率だが、一般的には民間企業で１００％を超えるのが理想といえる。１００を切るとフローがちゃんと回っていないことを示し、95％を切ると経営自体が厳しいと判断する人も少なくない。さらに95％以下が3期続くと、「これはちょっとヤバい会社だな」と思われてしまうこともあり、場合によっては金融機関がお金を貸すことを警戒してしまうケースもある。

しかし、この経常収支比率の話は、自治体に置き換えられると数字の見方が〝真逆〟になる。民間企業は利益の極大化が経営のあるべき姿であり、利益中心に考えるのが基本となる。

一方、行政は地方自治法によって規定されている項目以外の借金が禁止されているため、歳出と歳入は単年でバランスを取らなくてはいけない。そのため、経常収支の比率が低ければ低いほど自由に使えるお金が多くなり、財政にゆとりがあることを意味することになる。

先ほどのサラリーマンの家計にたとえると、食費やローンの返済額の割合が低ければ低いほど家計が楽になるのと同じ意味合いになる。そのため、民間企業での経常収支比率は１００％を超える必要があるが、一方で、地方自治体は１００％よりも限りなく低いほうが、経済構造の弾力性が高いので〝良好〟という意味になる。ただし、市政の発展や市民サービスを向上させたり、事業を早く、多く進めるために補正予算を組み、税金を有効に活用するなど、１００％よりも低ければよいというものでもなく、バランスが必要という議論もある。

さいたま市の２０２１年度の経常収支比率は「92・５％」となっており、財政状況は健全といえる。総務省が発表した政令指定都市の経常収支比率の平均は92・７％となっており、その点から見てもさいたま市の財政は、民間企業でいえば「平均より少し良い」という部類に入る。また政令指定都市20都市の中で、さいたま市の市民１人当たりの市債残高

（国や金融機関など外部からの借入金）は2番目に低く、自主財源のゆとりを示す財政力指数は3番目に高い。これらの数字からも、さいたま市が他の自治体と比べて財政状況が健全であることが分かる。

ちなみに、政令指定都市の経常収支比率はすべて100％を切っており、特に大阪市は地方税や地方交付税などの経常一般財源が大幅に増えたことで経常収支比率がマイナス9・2ポイント好転し、85・1％と良好な数字になっている。一方、北海道夕張市の経常収支比率は118・9％という状況であり、この数字からも地方都市の財政の厳しさを窺い知ることができる。

街の人口が増える＝企業の売上が増える

さいたま市の収支のバランスが取れていることは、経常収支比率から理解することができた。次に考察しなくてはいけないのが、このお金がどこから入ってきていて、どこに投資されているかである。

さいたま市の一般会計の歳入を見ると、「市税」が41・9％を占めている。さらにさい

図表4　2021年度のさいたま市の一般会計の「歳入」

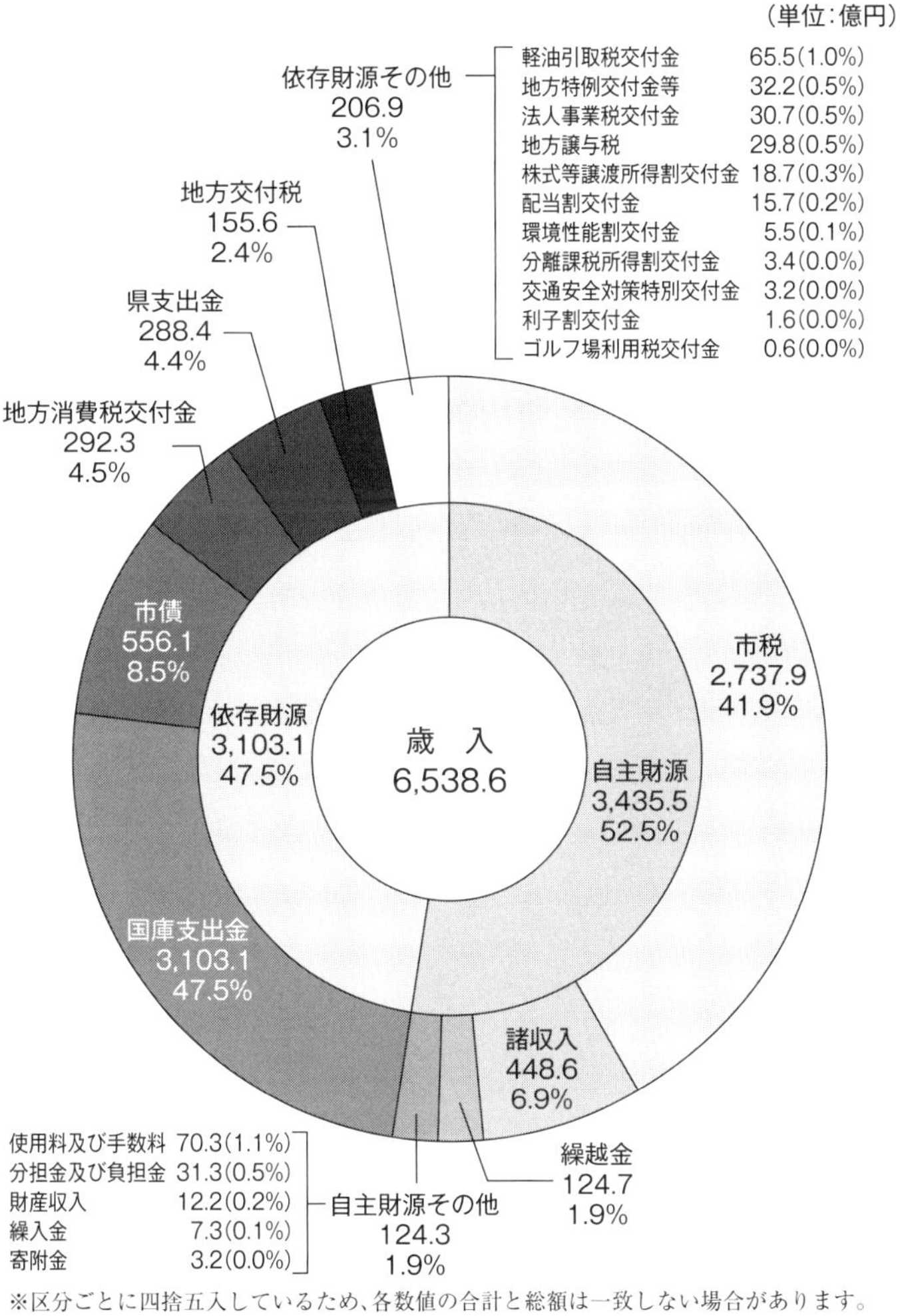

※区分ごとに四捨五入しているため、各数値の合計と総額は一致しない場合があります。
出所：「令和3年度 さいたま市行政報告書」（さいたま市）

図表5　2021年度のさいたま市の普通会計決算カード

地方税内訳		決算額(千円)	構成比	増減率
市民税	個人	134,763,696	49.2%	△0.4%
	法人	18,746,912	6.8%	△2.3%
固定資産税		87,348,036	31.9%	△0.7%
軽自動車税		1,569,902	0.6%	4.8%
市たばこ税		7,752,867	2.8%	7.2%
特別土地保有税		0	0.0%	−
事業所税		4,847,199	1.8%	2.5%
都市計画税		18,755,008	6.9%	△0.3%
入湯税		3,323	0.0%	9%
旧法による税		0	0.0%	-
合計		273,786,943	100%	△0.3%

出所:「令和3年度 普通会計決算状況」(さいたま市)

たま市の普通会計決算カードの市税の内訳を見ると、8割以上が「個人市民税」と「固定資産税」であることが分かる。

　これらの数字からも、さいたま市の財政の多くは市民の「税金」で成り立っていることが理解できる。つまり、さいたま市の「売上」は、市民の納める税金で賄《まかな》われており、その市民の「数」が増えれば増えるほど、税収が上がることになる。さいたま市において「人口を増やす」ということは、企業で言う「売上を増やす」という意味に近いところがあり、自治体にとっての生命線であることが分かる。

　先述したように、さいたま市は財政力指数が政令指定都市中3位と「稼ぐ力」がトップクラスの市である。

人口を増やさなければ、当然、歳入が減っていくので、財政が圧迫されることになる。民間企業でいえば、売上が下がり、設備投資にも採用にもお金をかけられず、働いている従業員にボーナスが出せなくなるのと同じことになる。

そのような視点で考えると、さいたま市がやるべきことは、「人口を増やすこと」が都市計画の中心になる。多くの人が移住してくるような魅力のある街をつくる必要があり、住んだ人が出て行かないように、住民に対するサービスを充実させていかなければいけない。日本政府が少子高齢化対策に必死になっているのも、このような事情が背景にある。また、地方都市で人口が減少している街が、Iターン、Uターンで移住者を増やすことに力を入れているのも、「人口減=売上減」という危機感から行っている施策といえる。

大阪市が統合型リゾート(IR)に力を入れる理由

他の政令指定都市の普通会計決算カードも検証したところ、人口の多い政令指定都市の場合は、おおむね個人の市民税と固定資産税が市税の大半を占めている。

図表6　2021年度の大阪市の普通会計決算カード

（単位：千円・%）

区分		収入済額	構成比	超過課税分
市町村民税		327,673,294	43.7	21,695,733
内訳	個人均等割	4,659,619	0.6	－
	所得割	214,738,509	28.6	－
	法人均等割	19,676,200	2.6	－
	法人税割	88,598,966	11.8	21,695,733

出所：「令和3年度 決算状況」（大阪市）

しかし、例外なのが大阪市である。

市町村民税が約3277億円に対し、法人税が1083億円となっており、市町村民税の約3分の1を法人税が占めている。つまり、大阪市には多くの企業が集まり、法人税によって大阪市の「売上」が成り立っているのであれば、大阪市がやるべきことは、住民を増やすことに加えて、法人企業を誘致し、それらの企業の売上を伸ばすことが、財政を豊かにする政策ということになる。

大阪市が関西国際空港からのインバウンド客を増やす施策や、統合型リゾート（IR）に力を入れて国内外から人・モノ・投資を呼び込もうとしているのは、決算書の数字からも正しい政策の打ち出し方といえる。

一方、さいたま市において法人税は市民税のうちの7％弱しかなく、これが今のさいたま市の弱点ともいえる。しかし、裏を返せば、さいたま市の法人税にはまだまだ大きな伸びしろがあり、企業や工場、ホテルなどのサービス業を市内に誘致することは、歳入を増やすことに直結するため、今後、力を入れていくべき政策のひとつといえる。

さいたま市民の税金は何に使われているのか？

さいたま市の歳入の多くが市民からの税金によって賄われていることは理解できた。次に見なくてはいけないのが、その税金が、どのようなことに使われているかという「歳出」の検証である。自分たちの支払っている税金がどこに投資されているのかを理解するのと同時に、その予算の使い道によって、さいたま市の政策の方向性が見えてくる。

歳出の37・5％を占める「民生費」とは、障がい者や高齢者の福祉、子育て支援に使われている社会保障関連の予算のことである。これらの予算が多くを占めるのは、市民の生活を守る行政の役割として、当然の姿といえる。

二番目に予算が投資されているのが、「教育費」である。全体の約15％を占めており、

図表7　2021年度のさいたま市の一般会計の「歳出」

（単位：億円）

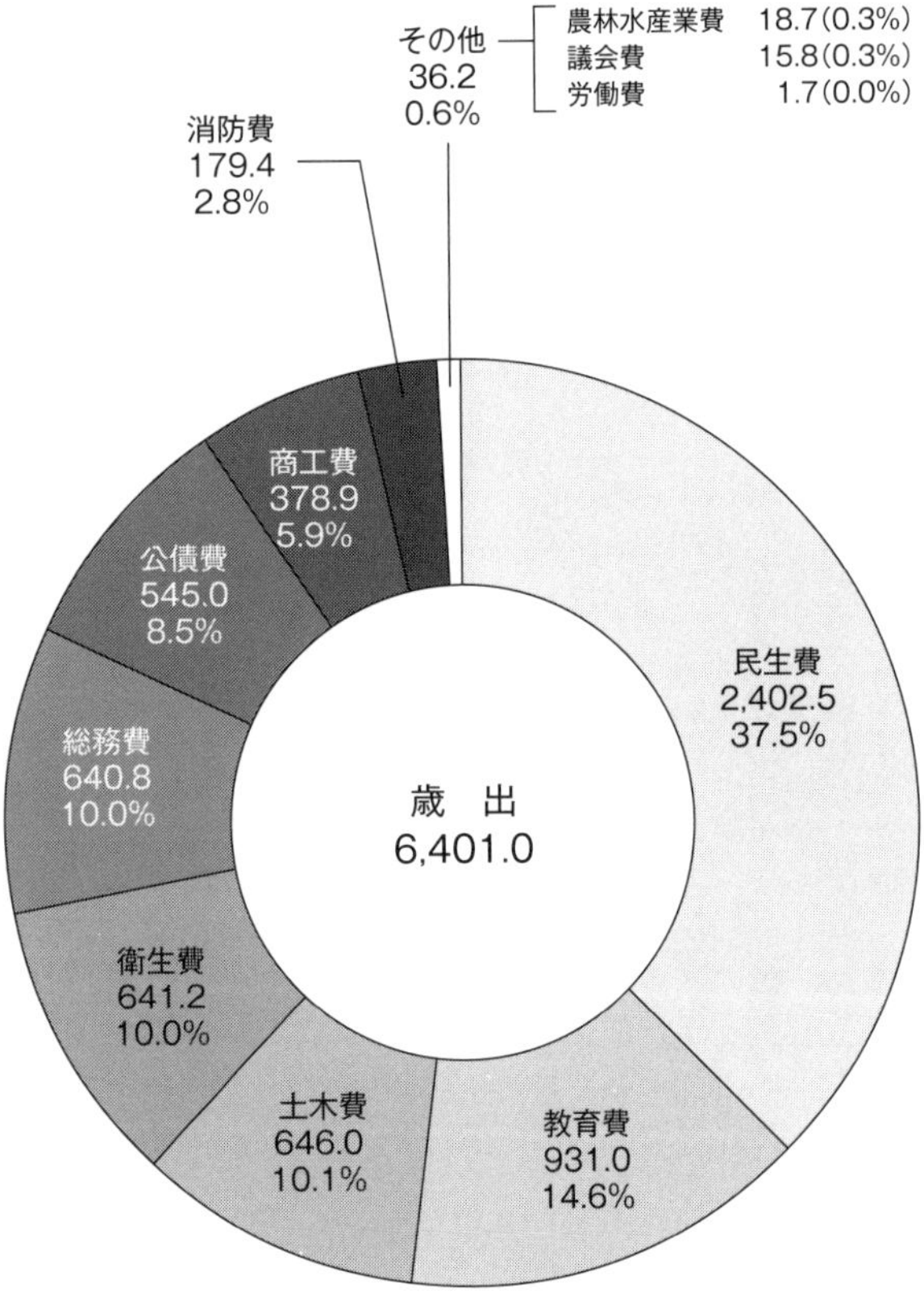

※区分ごとに四捨五入しているため、各数値の合計と総額は一致しない場合があります。
出所：「令和3年度 さいたま市行政報告書」（さいたま市）

さいたま市が教育に力を入れていることがこの数字からも窺える。

上記の「目的別」の歳出からは、歳出における教育費に振り分けられている予算規模が分かりにくかったので、2022度予算要求額一覧から、2021年度の当初予算を「局別」で調べてみることにした。

主に「教育費」を表す「教育委員会事務局」の予算は315億円と、保健福祉局（1523億円）、子ども未来局（827億円）、財政局（582億円）、経済局（432億円）、建

図表8　2021年度の当初予算

〈歳出(局別)〉　(単位:千円)

款		当初予算
01	市長公室	558,283
02	都市戦略本部	4,309,415
03	総務局	3,270,866
04	財政局	58,223,261
05	市民局	7,143,120
06	スポーツ文化局	14,393,690
07	保健福祉局	152,341,795
08	子ども未来局	82,720,492
09	環境局	15,957,612
10	経済局	43,216,100
11	都市局	29,820,556
12	建設局	36,660,627
13	西区役所	271,195
14	北区役所	227,020
15	大宮区役所	184,677
16	見沼区役所	283,083
17	中央区役所	264,706
18	桜区役所	144,532
19	浦和区役所	233,886
20	南区役所	195,773
21	緑区役所	239,739
22	岩槻区役所	453,866
23	消防局	4,371,610
24	出納室	140,828
25	教育委員会事務局	31,468,417
26	議会局	1,352,730
27	選挙管理委員会事務局	893,603
28	人事委員会事務局	26,358
29	監査事務局	9,225
30	農業委員会事務局	59,401
－	人件費(退手含む)	122,343,534
歳出合計		611,780,000

出所:「令和4年度予算要求額一覧」(さいたま市)

設局（366億円）に次いで6番目の予算規模となる。

子育て支援を担う子ども未来局の予算と合わせれば、1142億円となり、さいたま市がいかに〝子ども〟に予算を投資しているかが分かる。

子育ての環境を整えることは、自治体が目指す「住民の数を増やす」という目標を達成することに直結する。子どもを産み、育てる環境を整えることで住民が増え、学校教育が充実している街をつくれば、他の市町村から転入してくる家庭が増えることになる。

「あの街は幼稚園や保育園の補助やサービスが充実している」

「あの街の小学校は英語教育に力を入れているから子どもを通わせたい」

充実した子育ての環境を整えることは、人口を増やすために必要不可欠な政策といえる。これは民間企業でいえば、儲かったお金を、サービスや設備投資に回すことと同じ意味となる。歳入で得た市税を、教育費に投資する政策は、市の財政を活性化するうえで正しい戦略といえる。

さいたま市は投資戦略がうまくいっている街

図表9　転入超過(0～14歳)

順位	市町村	超過人数
1位	さいたま市	1,520人
2位	町田市(東京都)	948人
3位	つくば市(茨城県)	766人
4位	流山市(千葉県)	758人
5位	印西市(千葉県)	713人

出所:「住民基本台帳人口移動報告(2022年結果)」(総務省)

総務省が発表した2022年度の住民基本台帳人口移動報告書によると、0～14歳の転入超過の人数は、さいたま市が1位で1520人。2位の東京都町田市の948人を抜いて断トツのトップ、2015年から8年連続で全国1位である。

これらの数字を見ても分かる通り、さいたま市は人口を増やして得た税金を、「子どもを増やす」という戦略に投資して、さらに人口を増やし続けている。

もちろん、交通の便の良さや住環境に惹かれて転入してくる人も多いと思うが、少なからず、さいたま市が子育てや教育を〝ウリ〟にしたいことは、これらの歳出の予算配分から読み解くことができる。

なお、他の政令指定都市の歳出を検証してみたところ、多くがさいたま市と同様、民生費が4割近くを占め、教育費が15％前後という比率になっていることが分かった。人口が増えている政令指定都市は、さらに人口を増やして市税を増やす必要があり、子育てや教育に予算を投資することは、大きな都市の政策の王道といえそうである。

しかし、予算が限られる一般市になると、事情は違ってくる。たとえば、長野市の2021年度の歳出を見ると、民生費は4割弱で政令指定都市と変わらないものの、教育費が占める割合は7％と低く、土木費や商工費の予算を下回る予算配分になっている。また、2023年度の青森市は民生費が46・5％と高く、教育費は11％と低い状況になっている。一般市には教員の人件費負担がない（都道府県が負担）という点はあるにせよ、すべての自治体が教育に力を入れられるわけではないことが、これらの数字からも見て取れる。

人口が増えて市税にゆとりがある政令指定都市と、少子高齢化で人口減に苦しむ地方都市との間では、今後、子どもたちの教育の面でも差が開いていくことが予想される。

スポーツの部署が「課」ではなく「局」の意味

もうひとつ歳出で注目したのが、「スポーツ文化局」の予算である。144億円と配分も大きく、さいたま市がスポーツや文化の振興にも力を入れていることが分かる。

他の政令指定都市を調べたところ、たとえば千葉市の2022年度各局予算要求の概要によると、生活文化スポーツ部の2021年度の一般会計の予算額は、文化振興課が13億8600万円、スポーツ振興課が43億4800万円と、合わせて57億3400万円と、さいたま市のほうが2・5倍の予算を振り分けている。

また、同じ政令指定都市の岡山市の2022年度事務事業別予算要求状況一覧を見ると、スポーツ振興課と文化振興課の2021年度の予算額は合わせて96億5700万円と、やはりこちらもさいたま市と比べて予算の振り分けが少ない。

そもそも、千葉市の生活文化スポーツ部は「市民局」、岡山市のスポーツ文化部は「生活市民局」に属しており、さいたま市は「スポーツ文化局」が〝課〟や〝部〟ではなく〝局〟として独立しているところに、「スポーツと文化にガチで力を入れている街」という市政の覚悟が表れているように思える。

特にさいたま市の場合、サッカーの街としてスポーツの取り組みに注力しており、年に一度開催される自転車競技「ツール・ド・フランスさいたまクリテリウム」も大きなスポーツのイベントとして注目を集める。スポーツへの投資が、さいたま市を人気都市へと押し上げた要因になっている可能性は高いといえる。

以上、さいたま市の決算データを検証した結果である。私自身、自治体専門のコンサルタントではないので、やや粗い考察になっているところもあるが、そのうえで、次の3つの政策について検証することにした。

- 人口増につながっている教育と子育てへの取り組み。
- サッカーや自転車競技をはじめとしたスポーツへの取り組み。
- 歳入の伸びしろとなっている企業誘致、経済活性化に関する取り組み。

次の章では、さいたま市の教育、特に全国から注目されている英語教育への取り組みを考察し、どのようにして人気都市へと変貌を遂げたのか、自治体の戦略について考察していきたいと思う。

第3章

子どもの「英語力」を伸ばすと、なぜ、人口が増えるのか？

英語教育に2倍の時間を使うさいたま市の小学校

「86・6％」

さいたま市の英検3級相当の英語力を持つ中学3年生の割合である。全国平均の49・2％を約40ポイントも上回り、東京都の59・5％よりもはるかに高いスコアを叩き出している。

さいたま市が飛び抜けた英語力を身に付けられたのは、いち早く英語教育に取り組んだことが要因として大きい。

文部科学省が学習指導要領を見直し、小学3年生から英語教育を取り入れることにしたのは2020年のこと。しかし、さいたま市はそれよりも早い2016年から英語教育に力を入れ始め、小学1年生からの9年間、一貫して英語を学ぶ「グローバル・スタディ」を導入し、英語力の底上げを図った。

その力の入れようは、さいたま市の決算書からも窺える。2016年度の一般会計の歳出で、教育費が398億円だったのに対し、2017年度には908億円と一気に予算を

図表10　全国トップの英語力（英検3級相当の割合、中学校）

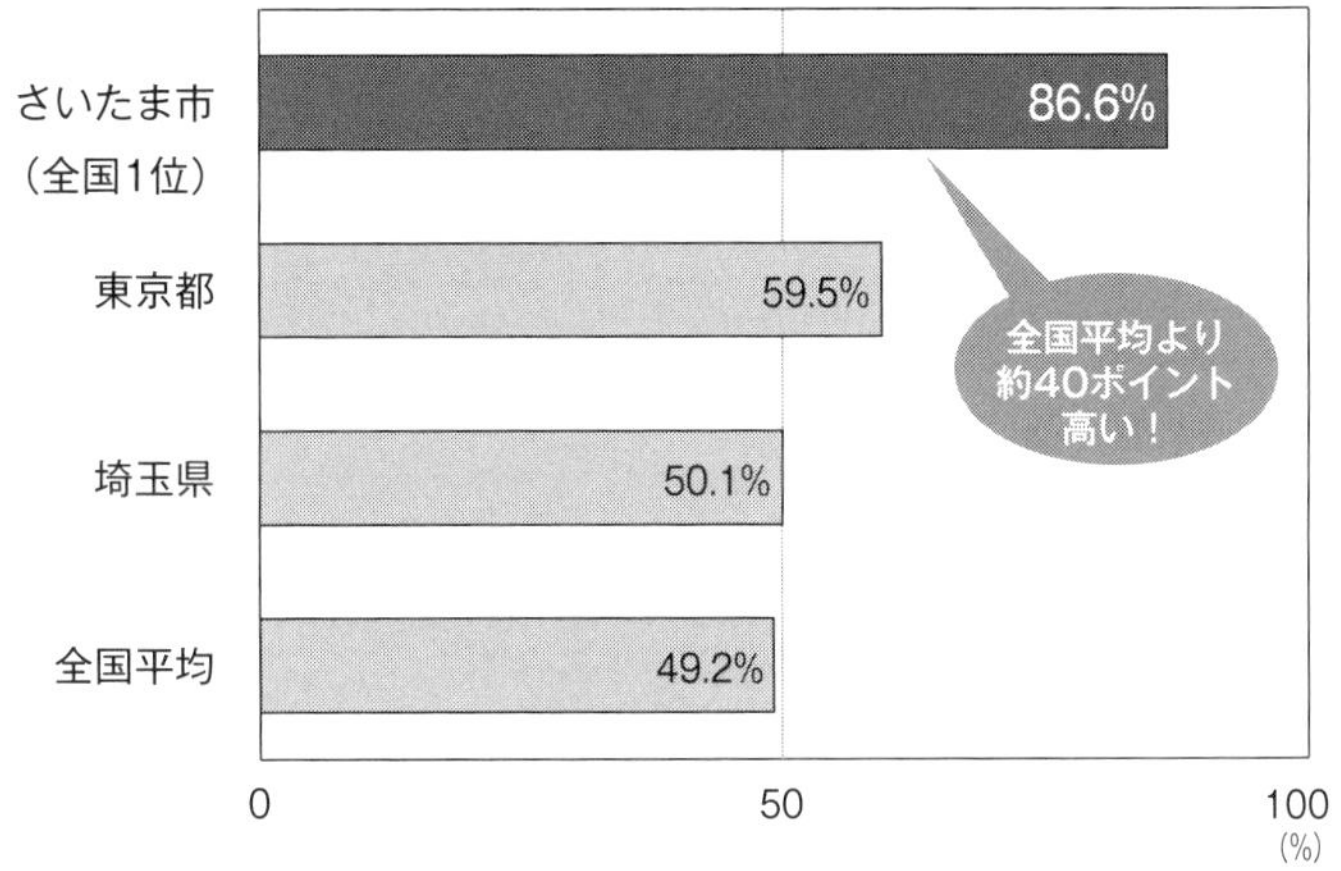

出所：「令和4年度英語教育実施状況調査」（文部科学省）

２・２倍に増やしている。政令指定都市が教員人件費を県から委譲され、負担することになったことが要因ではあるが、教育予算の充実は教員の「数」への投資につながることから、このタイミングでさいたま市が英語教育に対して、多くの〝人〟と〝時間〟を投資したことが分かる。

〝人〟の投資に関して、さいたま市は多くの授業において、複数の教員による指導を実施、１年生から４年生はクラス担任に加えて、外国語を母国語とする外国語指導助手（ＡＬＴ・Assistant Language Teacherの略）が付き、５年生から６年生にかけては、ＡＬＴと共にグローバル・スタディ科専科教員（または非常勤講師）がついて授業を行っている。

一方、〝時間〟の投資に関しては、英語の授業時間を増やすことに注力した。小学校の標準的な英語の授業時間が２１０時間に対して、さいたま市は４１９時間と約2倍の授業時間を設けている。また、中学校も標準的な英語の授業が４２０時間に対し、さいたま市では４７１時間と、およそ50時間も多い授業時間とした。

このように教員の充実と圧倒的な授業時間の多さによって、さいたま市の英語力は全国でも群を抜いたレベルへと成長した。先述した中学3年生の英語力の実施調査では、２０１８年に全国1位を獲得して以降、調査未実施の２０２０年を除き、４回連続でトップの座を維持している。

オール英語の授業を、タブレット端末を使って難なくこなす小学生たち

さいたま市の英語教育の取り組みを初めて耳にした時、「子どもたちは好んで英語を勉強しているのか?」という疑問がよぎった。無理やり学校側が英語教育を押し付け、泣く泣く英語の勉強を〝やらされている〟という情景が目に浮かび、さいたま市の子どもたちに気の毒な思いを抱いてしまった。

私自身、中学生の頃に嫌々英語の勉強をやらされた一人である。その後、英語は大の苦手科目となり、高校や大学の受験でも足を引っ張り続けた。お恥ずかしい話として、大学生の頃にアメリカ大陸を東海岸から西海岸までオートバイで横断した時、思うように英語が話せず、無口を貫き通した結果、ニューヨークに着いた時には英語どころか日本語も少し忘れかけていたという笑えないエピソードもある。そのような苦い経験から、英語教育に対してどうしてもポジティブな印象を持つことができなかった。

2021年5月にニフティが行った「好きな教科、苦手な教科」の調査によると、中学生の「苦手な科目」の1位が算数・数学（35％）、2位が社会（18％）、3位が英語・外国語（16％）と、英語は嫌いな科目のひとつとしてランクインされている。「好きな科目」のトップ3の中には英語は入っておらず、これらのデータからも、「英語が嫌い」という子どもが今もなお多いことが窺える。私のように英語に対して強いコンプレックスを抱く人が、今も昔も数多くいることは、間違いないといえそうである。そのような中で、「子どもたちが率先して英語の授業を勉強している」というさいたま市の取り組みは、にわかに信じられない話でもあった。

さいたま市の英語の授業を見学させてもらったのは見沼区にある片柳小学校だった。各学年2クラス、全校児童約400人の、ごくごく普通の小学校である。

教室で待機しているとチャイムが鳴り、5年生の授業が始まった。子どもたちが席に着く。さいたま市の小学校では教科担任制を敷いているため、担任は別のクラスの授業に向かう。改めて教室に入ってきたのは、グローバル・スタディ科の専科教員と母国語が英語のALTの2人の女性の教員だった。

始まって最初に驚かされたのは、〝オール英語〟で授業が進められることだった。たまに日本語も織り交ぜられるが、ほぼ教員は英語しか話さない。さすがに聴き取れない子が出てくると思い、教室を見回したが、子どもたちは教員の話を頷《うなず》きながら真剣に聴いている。

そんな時、授業を進める専科教員が、英語でジョークを言った。正確には〝ジョークを言ったらしい〟としか判断できなかったが、教室で子どもたちが笑いだしたことで、ようやくその話が〝ジョーク〟であることに気が付いた。つまり、この教室で英語が聴き取れないのは私だけであり、子どもたちは全員、英語が聴き取れていたのである。

授業は基本的にグローバル・スタディの専科教員が進め、教室の中をALTが巡回しながら、子どもたちをフォローして進められていく。教員二人で声を掛け合い、対話形式の

片柳小学校の英語の授業風景。専科教員と外国語指導助手（ALT）の２人で授業を進める

英会話を見せることで、子どもたちはリアルな英語のコミュニケーションを目の当たりにすることができる。

自分たちが中学生の頃は、英語教員が教科書の構文を読み、それを繰り返し声に出して読むだけの授業だったと記憶している。これが何の学びになり、この勉強が社会に出て何の役に立つのかも分からず、ただひたすらオウム返しのように、英語を繰り返し読み続ける授業は苦痛でしかなかった。

しかし、目の前で行われている英語の授業では、英語を実際に使い、人と話すところをナマで見聞きすることができる。授業を教員が一人だけで展開するよりも、二人でこなすほうが圧倒的に語学を使う臨場感があり、英語を話すことによって会話が成立することをリアルに体感することができる。自分が子どもの頃に体感した英語教育とは、まったくの別物と言っていい。

専科教員がタッチ操作に対応するプロジェクターを使い、課題を出した。子どもたちは器用にパソコンのキーを叩き、課題が終わると、その解答が次々に黒板のプロジェクターに映し出されていく。どうやらデータが専科教員のパソコンと共有できる仕組みになっているようである。

専科教員は子どもたち全員が課題を提出したことを確認すると、隣の席の人と課題を添削し合うよう指示を出した。すると、子どもたちはパソコン上でデータを交換し合い、お互いの課題を見ながら、英語で自分たちの考えを伝えて、添削を始めた。

教育現場のデジタル化が進んでいることは聞いていたが、まさかここまで進化しているとは思いもしなかった。まして英語で授業が進められて、パソコンを使って課題を行う光景は、50歳を過ぎた私から見れば、近未来の映画を観ているような感覚だった。

最後に、授業の感想を子どもたちが述べ合う時間が設けられていた。

「終わりの10分間はコミュニケーションの時間に当てています。お互いの意見や考えについて英語でインタビューし合うこともあります。この時間が英語をアウトプットする貴重な時間になるんです」

取材に同行してくれた教育委員会の指導主事の女性が言った。

「私が中学生の頃の英語の授業とはまったく違いますね」

指導主事に率直な感想を言ったところ、柔らかい表情でクスリと笑った。

「その中学生の頃に学んでいた英語を、今、小学5年生が学んでいるんですよ」

あまりにも子どもたちが流暢《りゅうちょう》な英語を話すので忘れていたが、目の前で授業を受けているのは紛れもない小学生である。自分たちが中学生の頃に学んでいた授業を、すでに小学生で勉強しているとなれば、彼らが大人になった時には、どれほどの英語力がついているのか。

自分が40年前に学んだ英語とは、質も量も違いすぎると思った。

英語を勉強させるのではなく、好きになってもらう取り組み

事前に想像していたことと真逆だったのは、片柳小学校の子どもたちが、楽しそうに英

語を勉強している点である。粗探しをしようと、教室の隅々まで目を配り、嫌々英語の勉強をさせられている子どもを見つけようとしたが、私の見学した授業に限っていえば、英語を無理矢理勉強させられている子どもは一人もいなかった。

むしろ、子どもたちに抱いたのは強い嫉妬心である。英語の専科教員とALTの二人体制で授業を進め、授業の内容が分からなくなったら、さっとフォローに入ってくれる。リズムや音楽にあわせて楽しく英語を学び、本場の英語を耳にすることができて、友達同士で英語を使い、そして伝わり、笑える体験ができれば、英語が「楽しい」と思えてしまうのは当たり前である。

一方、私が中学生の頃は、毎週、英単語テストが行われて、間違った単語を100回ノートに書かされるという懲罰を受けながら英語を学んでいた。英語を使う喜びよりも、英語を勉強する苦痛のほうが上回り、その結果、英語という語学に対して、強いコンプレックスを抱くようになってしまった。

片柳小学校の5年生の子どもたちは、英語の授業を心の底から楽しんでいるように見えた。一人ひとりに感想を聞いたわけではないので本音は分からないが、少なくとも「英語」という科目が好きか嫌いかというよりも、「楽しい科目が1個増えた」という認識の

さいたま市教育委員会 細田眞由美前教育長

ほうが強いのではないかと思った。この環境は、中学生になって「苦手な科目が1個増えた」というよりも、明らかに英語に対する気持ちの持ち方が変わるはずである。

「小学1年生から英語の授業をやっているので、『英語が嫌いだ』という苦手意識そのものがないのかもしれません」

指導主事の女性の言葉に、さらに授業を聴いている子どもたちが羨《うらや》ましく思えた。

「小学生はまだ発達段階の時期です。英語の授業を楽しくしなければ、自分から勉強をしてはくれません」

そう話すのは、英語教育のカリキュラムを作り上げたさいたま市教育委員会の細田眞由美前教育長である。市内の公立高校の校長からさいたま市初の女性教育長に就任、「グローバル・スタディ」と呼ばれる英語教育を展開し、さいたま市の英語力を全国トップクラスに引き上げた張本人である。

「英語は使うことが大事。日本人は英語をアウトプットするチャンスが少なすぎるんです」

その言葉を聞いて、片柳小学校の子どもたちが、英語の授業の最後にお互いの意見や考えを伝え合う時間があることを思い出した。聴いたばかりの英語を、すぐに使い、それが伝わる楽しさをリアルに体験できることは、語学を習ううえでのモチベーションを一気に高めることにつながっていく。

さいたま市の小学校では毎年、英語劇の発表会が行われていて、中学生では英語のディベート大会が開催されているという。夏休みには小中学生を対象にした「イングリッシュ・キャンプ」が開催されて、高校生がリーダーとなって、ALTと一緒に2泊3日の英語漬けの生活を送るユニークな取り組みが行われている。

「英語を好きになってくれれば、誰かに伝えたくなるんです。そうなると、自然と単語や構文のルールを覚えてくれるようになります」

取材する前までは、嫌いな英語を無理やり勉強させられている子どもたちの姿を想像していた。しかし、さいたま市の英語教育は、その元となる〝嫌い〟を断つことからカリキュラムが作り込まれている。

英語が「つまらないもの」「受験に必要なもの」と最初から捉えてしまえば、その授業を受けること自体が辛《つら》いものになってしまう。単語を覚えることも苦痛になるし、話すことも億劫《おっくう》になる。しかし、小学1年生の頃から、リズムや音楽に乗って英語を学び、教員や子どもたち同士で英語を使って話す楽しさを体験することができれば、「もっと英語を学びたい」という気持ちは確実に高まっていく。子どもたちの持つ好奇心が、単語をもっとたくさん学んで、英語をたくさん話したいという方向に向かえば、必然的に英語に対する苦手意識はなくなっていく。

「英語は世界を見るための『窓』なんです。英語というツールを使えば、もっと世界中のいろいろな人と話をすることができるようになるし、広い世界を見つけにいくことができる。英語を学ぶのではなく、英語で世界を学ぶんです」

もし、この言葉を、私が英語を学び始めたばかりの中学生の頃に聞いていれば、胸を躍らせながら英語の授業を聴いていたかもしれない。

モルガン・スタンレーの協力で金融経済の授業が小学校で行われる

さいたま市は英語力以外の学力も高い。２０２２年度の全国学力学習状況調査によると、国語、算数・数学、理科の科目は小中学生とも全国の平均正答率を上回る。小学生の理科と中学生の国語と数学に至っては、政令指定都市の中で1位である。

「政令指定都市として文部科学省とやり取りできるのは大きいと思います」

そう話すのは、さいたま市教育長の竹居秀子さん（前さいたま市立教育研究所所長）。英語だけに限らず、様々な科目で独自の授業の取り組みができるのは、さいたま市の大きな強みとなっている。県の定めた研修プログラムに乗っかる必要もなく、市独自で理想の教育像を目指せるのは、教育現場のモチベーションアップにつながっている。

教職員たちへの教育も充実している。「授業の達人大公開」では、国や市より表彰を受けた優秀教職員の授業を参観することができる。また、その様子はさいたま市の公式ユーチューブでも動画として公開されており、授業の内容をブラッシュアップしたい教職員が、好きな時間に自由にレベルの高い授業を学べる環境が整っている。

図表11　政令指定都市の中でもさいたま市の学習レベルは高い

トップレベルの学力・生活習慣　(%)

項目	公立小学校		公立中学校	
	さいたま市	全国との差	さいたま市	全国との差
「国語」平均正答率	69	+3.4	73	+4.0
「算数・数学」平均正答率	66	+2.8	57	+5.6
「理科」平均正答率	66	+2.7	52	+2.7
自分には、よいところがあると思う	88.4	+9.1	90.2	+11.7
自分でやると決めたことは、やりとげるようにしている	92.8	+5.6	91.3	+4.7
難しいことでも、失敗を恐れないで挑戦している	80.1	+7.6	77.1	+10.0

出所：「令和4年度 全国学力・学習状況調査」（文部科学省）

「『教師力』パワーアップ講座」では、18時30分以降に自主的に教職員が集まり、勉強会やオープン講座を行っている。参加者は毎回10～20名。教員を目指す学生向けの講座も用意されている。

さいたま市では、小学5・6年生を対象に、三菱ＵＦＪ銀行やモルガン・スタンレーの協力を得て、金融経済教育も行われている。

「今の大人はお金を貯《た》めるだけで、お金に対しての価値観が狭いところがあります。その価値観を子どもの頃から広げていく目的で、金融経済教育への授業の取り組みが始まりました。カードを使ったグループワークや、モノの値段や価値などを、小学生でも楽しく学

さいたま市教育長 竹居秀子さん

べる授業を行っています」（竹居さん）

現在、金融経済教育はモデル授業の段階で、2022年度から各区1校からスタートし、2023年度から各区2校20校で授業が行われている。授業は年間6時間のカリキュラムが組まれ、講師が教えるパターンと、金融のプロが出前講座として教えてくれるパターンの2種類あり、子どもたちからの評判が良いことから、授業に取り入れたいという小学校が増えているという。

教育に力を入れるさいたま市は、教員を目指す学生たちにとっても人気が高い。さいたま市立学校教員採用選考試験の志願者数は、2022年度が1124人、2023年度が1208人、2024度は過去最高の130

8人。教員不足が叫ばれる中、3年連続で1000人超えの志願者数となっている。より高いレベルの授業を志したい教員志望の学生が、独自の教育カリキュラムが組めるさいたま市の教員になりたいと思うのは、必然的な流れと言ってもいいだろう。

この流れが加速すれば、さいたま市にはさらに優秀な教員が集まるようになる。教育現場においても、質の高い教員が増えることは、地域内の子どもたちの学力の向上に直結していくことになる。

さいたま市が「教育」に力を入れた3つの理由

さいたま市が「教育」を武器にした理由は3つある。

1つ目は、「限られた資産を生かす」という戦略である。さいたま市が合併した旧浦和市は、旧制浦和高等学校や埼玉県高等女学校など、古くから「文教のまち」として栄えてきた。そのため、公立の小中学校でも進学志向が極めて高く、1960年代から他の市町村から旧浦和市の学区内に越境入学させる親が急増。その後、住民票のみの越境入学を禁じたところ、学区内に転居してくる家庭が増加し、半年足らずで浦和駅周辺の土地が2割以上上昇する事態にまで発展したという。

さいたま市は、この旧浦和市が持つ「教育」という文化を武器にして、人口を増やす戦略に打って出たと考えられる。

他の政令指定都市と比べて湾港も空港もなく、観光資源にも恵まれていないさいたま市は、自治体としての強い〝ウリ〟がなかった。首都圏には横浜市や川崎市、東京都下の市町村など魅力的な街は無数にある。何も特徴がない街だと、いとも簡単にライバルの都市に住民が奪われてしまう。

莫大《ばくだい》な予算を注《つ》ぎ込んで道路や箱モノを充実させるよりも、まずは低予算の投資で、なおかつすでに確立されている文化資産である「教育」という無形サービスに力を入れて、街のアピールに力を入れていったのではないだろうか。

旧浦和市で培ってきた「教育」という強みを、さいたま市全域に広げることで、地域内の学力全体が一気に高まっていった。

「さいたま市になってから、旧大宮市内の公立高校のレベルが上がった」（30代男性）

「旧浦和市に他の地域が引っ張られる形でさいたま市の学力が伸びた。10区の教育の地域格差は少しずつ縮まってきている」（さいたま市議）

ウソかホントか定かではないが、旧浦和市の優秀な教員がさいたま市内全域に出て行ったために、旧浦和市の学校から優秀な教員を戻してほしいという要望が持ち上がったという話も耳にする。

それだけ旧浦和市の持っていた「教育」という資産は、さいたま市が首都圏で生き残るために必要な、唯一の武器になったのである。

教育に力を入れるという取り組みは、子育て世代の親にとってこれ以上にない魅力的なキーワードといえる。少しでも良い教育を受けさせたいというのは、多くの親が持つ願望であり、その意識が高ければ高いほど、税金をたくさん納めてくれる高年収のファミリー層に支持されるようになる。さいたま市が政令指定都市の中で勤労者世帯可処分所得が1位という実績からも、教育への施策が人口を増やし、高年収のサラリーマンを惹きつけるコンテンツであることは明らかだといえる。

特に「教育に力を入れている」という抽象的な取り組みではなく、「英語教育に力を入れている」という具体的な教育政策に舵《かじ》を切ったことは大きい。

「国語教育が優れている」「歴史の勉強に力を入れている」というキーワードよりも、英語教育のほうが教育レベルの高さが具体的に伝わり、理系文系問わず必要な科目であることから、多くの親の心に響くキーワードになった。

特にさいたま市は東京勤めのサラリーマンが多く住む街であり、職場で英語の重要性を強く感じている人も多く、英語教育に力を入れたい親は少なくないと思われる。

たとえば、小さな子どもを持つ家庭の親が、同じ政令指定都市で千葉市とさいたま市のどちらに住むか悩んでいるとした場合、同じ通勤時間、同じ家賃であれば、子どもの将来のことを考えて、海がある千葉市よりも、英語教育に力を入れるさいたま市のほうが魅力的に映ることは十分に考えられる。特に私のような英語に対して強いコンプレックスを抱いている親であれば、なおさらさいたま市の英語教育に惹かれてしまうところがある。

さいたま市の教育に力を入れた戦略は、中小企業のマーケティングにも大いに役立つ。不慣れな新しいビジネスに投資するよりも、社内に残されている有益な資産や技術を掘り起こし、消費者に伝わりやすい言葉に切り替えてアピールすることは、最小限の投資で、最大限の収益を上げることにつながる。

新しいことに取り組むことのすべてがチャレンジではなく、社内に残された埋没資産に目を向けて、再利用してヒット商品を生み出すこともまた、チャレンジなのである。

先行者利益で圧倒的な「強み」を手に入れる

２つ目のポイントは、英語教育にいち早く取り組んで、先行者利益を得ることができた点である。さいたま市は英語教育の必須化が２０２０年度から始まるのを見越して、２０１６年度にはいち早く「グローバル・スタディ」をスタートさせて、人も予算も徹底的に注ぎ込んだ。

教育政策は結果が出るのに時間のかかる取り組みのため、早く始めた自治体が有利になる。特に小学生への英語教育は前例がないため、トライ・アンド・エラーを繰り返しながら、ノウハウと経験を積み重ねていく必要がある。さいたま市は２００５年から教育特区を内閣府に申請し、いち早く小学生に向けた英語教育をはじめ、指導方法をブラッシュアップし続けた結果、中学3年生の英語力で、全国平均よりも40ポイント近く高いスコアを叩き出すことに成功した。これはスピーディに小学生の英語教育に取り組んだ、先行者利益によるアドバンテージと言ってもいい。

この先行者利益のメリットは、ビジネスシーンでも同じことがいえる。新しい市場、新しい売り方を見つけて、いち早く取り組んだ企業には大きな利益が転がり込んでくる。たとえば、新しいネットサービスを提供した企業は、先に利用者を囲い込むことができて、運営ノウハウを積み重ねて、他社が追従できないポジションを築くことができる。また、地域内にいち早く出店した新しいカテゴリーの飲食店は、地域の優良顧客を早い段階で集客することができるので、新たに出店してきた同じカテゴリーの飲食店よりも高い集客力で売り上げを伸ばすことができる。

もちろん、商品力やサービス力の差によって、先行者利益が生まれないケースもある。しかし、今まで誰もチャレンジしていないことに誰よりも早く挑戦することは、事業の参入障壁を上げて、ビジネスの基盤を強固なものにしてくれる。

改革が難しい仕事ほど、思い切った人材抜擢が必要

3つ目のポイントは、思い切った人材の登用である。さいたま市の「グローバル・スタディ」の生みの親である細田前教育長のように、明確な英語教育に対してのビジョンを持つ人材に、教育改革を手掛けてもらったことは、市政にとって大胆なチャレンジだったと

いえる。

事なかれ主義のトップであれば、お金と人を投資したとしても、教育現場の取り組む内容は大きく変わっていなかったのではないか。従来の英語教育の延長線上にあるカリキュラムしか考えられない人材だと、「英語を学ぶのではなく、英語で世界を学ぶ」というグローバルな考え方には行きつかなかったはずである。

教育は結果を出すまでに時間がかかるものだからこそ、大胆でスピーディな改革が求められる。具体的なビジョンを持ったリーダーが陣頭指揮を取り、次々に出てくる未経験の難問を解決していく突破力がなければ、目に見えた成果を生み出すことは難しいといえる。

企業の戦略を立てるうえでも、結果が出るのに時間がかかる施策に対しては、あえて熱意のある挑戦的な人材を登用するべきである。たとえば、改革が難しい古いしきたりのある部署や、結果が見えにくい福利厚生関連の事業は、ついつい、前例踏襲主義の大人しいトップを据えてしまうところがある。

変化に時間がかかる仕事ほど、具体的に変革後の世界観をイメージしている人材を登用したほうが、さいたま市の英語教育のように、スピーディに結果を出してくれるのである。

さいたま市は「教育」という武器を前面に打ち出し、「日本一の教育都市の実現」という目標を掲げて、人口増の政策に成功した。

しかし、一方で、この街には、勉強による脱落者が出ていないのか、新たな心配事が生まれることになった。

次章では、誰一人取り残さない政策を展開する、さいたま市のもうひとつの教育システムについて考察していきたい。

第4章

失敗しても何度でも立ち直れる街

大宮がニューヨークで、浦和がワシントンDC

「凄くいい街ですよ。すぐに好きになりました」

３年前に浦和駅近くに引っ越してきた、40代のＩＴ企業の経営者は嬉しそうに街の印象を話してくれた。

「子どもの誕生日を近所の人が覚えていてくれて、お赤飯を炊いて持ってきてくれるんです。会えば挨拶もしてくれるし、街にゴミもほとんど落ちていないんです。前に住んでいた東京都内の街よりもずっと住み心地がいいですよ」

彼曰《いわ》く、近所には所得の高い人が多く、医師や経営者、公務員が住んでいるという。遊ぶ場所にも事欠くことはなく、飲みに行きたくなったら大宮まで足を運び、ほろ酔い気分で浦和まで帰ってくる。いつ行っても新しいお店や料理の発見があり、街の散策に飽きることはない。

「大宮がニューヨークで、浦和がワシントンＤＣみたいな感じですね。街の構造も気に入っていますよ。子どもの教育のことを考えると、さいたま市からは出たくないですよね」

もう一人、大宮駅近くに住む経営者にも話を聞いた。

「商売をしている人にとったら、政令指定都市の恩恵は大いにありますよ。保健所の申請もわざわざ県庁に行く必要がないですし、立派なゴミ処理施設もあって、分別がラクなんです」

住んでいる街の手続きがすべて市内で完結するのは羨ましい話である。私が住む千葉県の田舎町から、県に申請をかけに行こうものなら、電車を乗り継いで優に往復で3時間はかかってしまう。ゴミ処理場が町内にないのでゴミ袋代も高く、ゴミを捨てるという日常生活を送るだけでも、生活コストが押し上げられてしまっている。

「市役所や区役所の人たちも総じて対応はいいですよ。市の財政にもゆとりがあるせいか、窓口の職員もギスギスしていません」

話を聞いているだけでも、さいたま市が羨ましくなってしまう。しかし、彼の話からは常にポジティブなさいたま市の話しか出てこない。この街には生活にゆとりのある人しかいないのかと聞くと、彼は少し間を置いてから、ゆっくりと口を開いた。

「少なくとも、僕の周りには生活にゆとりのある人しかいませんね。自分自身が経営者で、大宮駅から徒歩圏内のマンションに住んでいるという環境のせいもあると思います。

さいたま市は賃料相場も高いので、所得の低い人だと住みにくい街だと思いますよ」

ある不動産サイトで大宮区のマンションの相場を調べたところ、マンションの売り出し相場が6000万円、賃貸相場は18万円と出ていた。彼の言う通り、所得の低い人が住むには厳しい不動産事情といえそうである。

「そんな人たちが住む街ですから、必然的に生活はハイソになりますよ」

どうやらこの街には〝負け組〟は少ないようである。

人の絆で運営される岸中学校の「土曜チャレンジスクール」

向かったのは南区にある岸中学校。さいたま市内でも有数の教育に力を入れる公立中学校である。私立の中学受験者が増えているので、昔のように転居してまで岸中学校に通う人は少なくなったが、今でも近隣の不動産屋では『この住宅は岸中学校の学区内です』というのがセールストークになっているという。岸中学校の人気はまだまだ健在といえる。

そんな市内屈指の進学熱の高い岸中学校で、月2回、土曜日に「土曜チャレンジスクール」という基礎学力を高める講座が行われているという。早速、見学に伺わせてもらうことにした。

「土曜チャレンジスクール」はさいたま市の全小中学校で行われている取り組みである。土曜日の午前中に子どもたちを集めて勉強を教えると聞いた時、真っ先に頭に思い浮かんだのは、教員が放課後や長期休みに行う「補習授業」だ。教育に力を入れるさいたま市のことだから、学校の教員が受験勉強のフォローをしているのかと思ったが、案内をしてくれた市の職員に話を聞くと、土曜チャレンジスクールは教員以外の地域のボランティアの人たちが行っているという。

勉強熱心な子どもが集まる岸中学校で、わざわざボランティアの授業を聴く生徒がいるのか？　土曜日にわざわざ学校に来て授業を聴くような生徒がいるのか？　様々な疑問を思い浮かべながら、土曜チャレンジスクールの講座を聴講させてもらうことにした。

その日の土曜チャレンジスクールに参加していた子どもたちは14人。流暢な英語を話す「学習アドバイザー」と呼ばれるボランティアの女性が教壇に立ち、英語で講座をスタートさせた。子どもたちは耳を傾け、普段の授業と変わらないと思われる姿勢で講座を受けている。

「基本的に生徒の自主性に任せています。講座を真面目に聞く子もいれば、配布したテキスト以外のことをやる子もいます」

岸中学校の土曜チャレンジスクール実行委員長の男性が言った。言われてみると教室内にはゆるい雰囲気が常に漂っており、強制されて受験勉強をやらされているようなピリピリした空気は流れていない。その感想を述べると、男性はさらに言葉をつないだ。

「私立の学校であればそういう雰囲気もあるかもしれません。ですが、土曜チャレンジスクールは少し違う意味合いになるんです」

土曜チャレンジスクールは原則無料であるが、一部受益者負担となっている。岸中学校での活動は午前中で3コマの講座があり、保険代と英数国の3科目のプリント代を合わせて1人当たり年間1860円を集めている。塾の費用や家庭教師代と比較しても、激安の料金といえる。

「いろいろなタイプの生徒が講座を受けに来ますよ。勉強が分からなくて参加する子もいるし、成績がトップクラスの子も参加しています」

土曜日の午後から部活があるため、午前中に行われる土曜チャレンジスクールに参加する子、親に「行ってこい」と言われて、しぶしぶ参加する子、家庭の事情で、塾の代わりに熱心に土曜チャレンジスクールに通う子。子どもたちの事情は様々だ。

岸中学校の土曜チャレンジスクールの様子

土曜チャレンジスクール終了後、学習アドバイザーとして講座をフォローしていた女子大学生に話を聞いた。

「日本語のコミュニケーションがままならない外国の子どもも講座に参加しています。わざわざ土曜チャレンジスクールに来るということは、きっと日本語が不自由で日常生活に困ることがたくさんあるんだと思います。そういう必死な子どもたちを目の当たりにしていると、力になってあげたいという気持ちが強くなって、勉強を教える私も熱が入ってしまいます」

その女子大学生は、土曜チャレンジスクールの活動を通じて、外国の子どもとコミュニケーションを取る楽しさを知ったという。教育関連の学部ではないので、学校の教員になるという選択はないが、将来的には、異文化の人たちと交流する仕事に就きたいという思いが、この活動を始めてから強くなったと語っていた。

「担任の教員からは、参加する子どもたちの特徴などを聞いて、事前に学習アドバイザーや教室コーディネーターと情報を共有しています。土曜チャレンジスクールを通じて、その子に合った勉強方法を見つけてあげることが私たちの仕事だと思っています」

そう話すのは、チャレンジスクールの代表である教室コーディネーターの女性である。今回の土曜チャレンジスクールでも、社会人となった岸中学校出身の息子さんが数学を子どもたちに教えていた。

地域のボランティアが率先して子どもたちに勉強を教える仕組みは、素晴らしいの一言である。一方で、地域の人たちとの連携が取れていなければ成立しない危ういシステムといえるところもある。聞くところによると、勉強を教える学習アドバイザーの謝金は1回2000円。果たしてこの金額で子どもたちに勉強を教えてくれるボランティアは集まるのだろうか。

「卒業した子どもの同級生の大学生や、教育に興味のある人に学習アドバイザーになって

岸中学校の山浦麻紀校長

もらうケースが多いです。場合によっては高校生が教えに来ることもあります。PTAのつながりや、子育てが終わって時間に余裕がある人など、地域の情報と人のつながりに頼って、土曜チャレンジスクールは運営されています」（教室コーディネーター）

学習アドバイザーは、学校の教員とはまた違った存在になる。〝お母さん〟や〝お姉さん〟という気軽に話しかけられる相手になることから、子どもたちも学校の悩みや勉強の方法などを気軽に相談することができる相手になる。

土曜チャレンジスクールは、最初からスムーズに導入できたわけではない。『部活の試合前は困る』『誰が土曜日に教えるのか』など、学校が補習授業のような取り組みを行うことに対しての反対意見は多かったという。しかし、試行錯誤を繰り返し、4〜5年かけてようやく今の形で運営できるようになった。

最後に岸中学校の山浦麻紀校長に、土曜チャレンジスクールの意義を聞いてみた。

「土曜チャレンジスクールが合う子もいれば、部活が合う子、塾が合う子、様々な子どもがこの学校にはいます。それを地域の大人たちがフォローしながら、子どもたちに合った勉強方法や居場所を見つけてあげる仕組みのひとつとして、土曜チャレンジスクールが存在しているんです」

伝統文化と考えれば、「教育」も「神輿」も同じ

さいたま市が掲げる「日本一の教育都市」というキャッチフレーズを聞くと、どうしても詰込み型の教育をイメージしてしまうところがある。所得が高く、塾の費用が捻出できる家庭にとったら、満足度の高い街かもしれないが、そこから溢《あふ》れ出てしまった人が住むには、居心地の悪い街のように思えてしまう。

しかし、さいたま市には「教育」という伝統文化が古くから受け継がれており、土曜チャレンジスクールのように、地域の人たちがボランティアで勉強を教えるという、助け合いの精神が根付いている。この文化が残り続ける限り、勉強から溢れ出てしまいそうになった子どもたちを、一人でも多く救い上げることができるのは、さいたま市の〝伝統芸〟と言ってもいいだろう。

土曜チャレンジスクールを見学して思ったのは、「教育」も伝統文化と同じように、地域に根差すことができるという点である。地方の小さな町で、祭事や食文化が引き継がれているのと同じように、さいたま市にも「教育」という伝統文化が代々受け継がれている。

それを強く感じたのは、土曜チャレンジスクールをアシストしている、学生ボランティアの参加動機を訪ねた時である。

「中学生の時に土曜チャレンジスクールに参加したことがあったから、いつかやってみたいと思っていた」

「当時は土曜チャレンジスクールに行っていなかったけど、いつか参加したいと思っていた」

この動機は、地域の子どもたちが、お祭りの時に大人たちが神輿《みこし》を担ぐ姿を見て、「いつか自分も神輿を担ぎたい」と思って、憧れの気持ちを抱くものと同じだと言っていい。〝神輿〟が〝勉強〟に代わっただけの話であって、良いものを代々引き継ぐという本質はまったく変わらない。

教育という地域文化が土曜チャレンジスクールという形になって、しっかりと次世代に受け継がれていれば、勉強で迷走した子どもたちを一人でも多く救うことができると思った。

生きづらさを抱える若者を救う「若者自立支援ルーム」

大宮駅の西口を出て5分ぐらいのところに、その2階建ての建物はあった。

「さいたま市若者自立支援ルーム」

さいたま市が運営している、学校に行けなくなった若者や、社会での生きづらさを感じている若者たちの自立を支援する施設である。こぢんまりとした建物だったが、外壁は真新しく、施設全体に清潔感が漂っている。

若者自立支援ルーム(桜木ルーム)

若者自立支援ルームには楽器や運動具などがあり、入所者は自由に利用することができる

「開業した当初は、この近くにあった保育園の跡地を利用して運営していたんです。そこで再開発が始まったので、今の場所に移転したんです」

そう話すのは自立支援ルームの運営をさいたま市から託されている、ＮＰＯ法人さいたまユースサポートネットの青砥《あおと》恭《やすし》代表である。

若者自立支援ルームは、支援ルームのホームページや行政の窓口に相談し、面談を経て登録さえすれば、誰でも自由に利用することができる。支援ルームを直接訪ねて登録する人も少なくない。アート教室やスポーツ、楽器の練習など、施設の中では自由に過ごすことができて、地元の自治会の人と一緒に清掃活動や運動会などに参加して、交流を深める取り組みなども行っている。

若者自立支援ルームでは、これらの活動を通じて、利用者が自信を持って社会で行動できるようになることを目的としている。ゆるやかに家族との関係性を改善させながら、就労という目的にこだわらず、何らかの形で「社会参加」できるよう、支援を行っている。

利用者の年齢は中学卒業後の15歳から39歳と幅広い。私が訪問した「桜木ルーム」の1日の利用者数は20人前後。この日は訪問したのが午前中ということもあって、施設には3～4人の利用者しかいなかった。

「朝起きるのが苦手な子が多いですからね」

施設を案内してくれた副代表の金子由美子さんが言った。午前中に施設を利用する人にも様々な事情がある。人が少ない時に施設を利用して、午後には家に帰る人もいれば、午前中だけ立ち寄って、午後にはバイトに行く人もいる。中には自立支援ルームで他の人とコミュニケーションを取って、テンションを高めてから学校に行く人もいる。元気な人と一緒にいると自己肯定感がどんどん下がってしまうため、一回施設ではずみをつけてから外に出ていく人も少なくないという。

主にどういう事情で若者自立支援ルームに来る人が多いのか。

「高校生の年代ではいじめが多いですね。友達同士の間で知らないうちに仲間外れにされているケースが増えています。表面化しづらい案件も多いので、教員も気づきにくいんです」（金子さん）

気が付いた時には「なんか外されているみたい」「頑張ったけど、もう無理」と、学校に行けなくなってしまうケースが多いという。

最近は発達障害を持つ子どもがいじめられてしまうケースが増えており、対処の方法がより難しくなってきている。

「小中学校までは、頑張れば友達をつくることができるんです。だけど、高校になると、その頑張りが効かなくなってしまう。急に居心地の悪さを感じるようになって、学校に行けなくなってしまうんです」（金子さん）

親が子どもの変化にいち早く気づき、行政の窓口や心理士などに相談すれば、解決の糸口を摑《つか》むことができる。しかし、生活に困窮し、子どもに関心がない親になると、その変化にも気づきにくく、その後に不登校になり、高校を中退してしまう。

「高校を中退するということは、『学力の低下』と『貧しさ』と『中退』の三重苦を背負わされることになるんです」

代表の青砥さんは、もともと高校の社会科の教員として20年間、その後大学で10年間、教鞭をとっていた人である。高校生が中退していく背景の研究を行い、多くのデータを検証した結果、中退者が一部の学校に集中して、その多くが家庭環境に恵まれていない子であることが分かった。親からのＤＶ、虐待、家庭崩壊、アルコール依存、精神疾患、シングルマザー家族の貧困と、事情は多岐にわたる。

「もともと高校の教育現場は、『学び』から『仕事』へのつなぎが保証されている場なんです。それを途中で辞めてしまうことは、社会に出るまでの保証がないのと同じことになってしまいます」

青砥さんは、行き場のない子や若者たちの居場所づくりのために、２０１１年から高校の中退者を受け入れる「たまり場活動」を、さいたま市浦和区で、学生や友人たちと一緒にボランティアで始めた。すると学び直しや仲間を求める数十人の若者たちが毎週土曜日、集まってきた。その活動に目を付けたのがさいたま市だった。

戻れる場所であることが、本当の居場所

さいたま市では２０１０年の「子ども・若者育成支援推進法」施行に伴い、有効な支援策として、新たな取り組みを模索しているところだった。

「若者を支援するセンターを作ろうという構想は以前からありました。でも、当時『居場所をつくるだけで、本当に子どもたちが救われるのか？』という意見もあって、なかなか一歩を踏み出すことができずにいました」

事業の立ち上げに携わった市長公室の副参事の作田克江さんが当時を振り返る。

「そこで青砥さんが取り組んでいる『たまり場活動』を視察しに行って、実際に子どもた

ちが居場所によって救われている現場を目の当たりにして、さいたま市として若者自立支援ルームの事業に取り組むことになったんです」

２０１３年に大宮駅西口に近い桜木の市立保育園の跡地を利用して、試行的に若者自立支援ルームがスタートした。その後、少しずつ利用者を増やし、２０２１年4月には桜木ルームよりも大きい「南浦和ルーム」を開設。そこの施設では１日の利用者数が40人を超えるという。

「利用者は右肩上がりで増えましたが、コロナで一時的に利用者が減り、今は再び増え始めている状況です。この先がどのような増減になっていくか、現段階では予測できない状況です」（金子さん）

さいたま市の人口は増え続けているが、その一方で、社会の生きづらさを感じている人も増えている。その人たちを支援する活動は行政として必要であり、教育に力を入れる分、同じぐらいの力を注いで、若者への自立の支援を行っていかなければいけない。

しかし、一方で新たな疑問が湧いてきた。若者自立支援ルームを作ったものの、学校に通わなくなった人たちが、果たしてその施設に足を運んでくれるのだろうか。居場所をつくっても、そこに人を集める施策がなければ、張りぼての施設で終わってしまう。

ＮＰＯ法人さいたまユースサポートネットの青砥恭代表（左）、副代表の金子由美子さん（中央）、市長公室の副参事の作田克江さん（右）

「さいたま市が広報活動に力を入れてくれているのは大きいと思います」

青砥さんは、行政の協力があってこその若者自立支援ルームであることを強調する。

「区役所やこころの健康センターのほか、地域の民生委員などが、不登校や引きこもりの子の情報を持っているので、他の団体と連携を取りながら若者自立支援ルームへの利用を促してもらっています。一度でも利用してもらえれば、連絡や利用の促しもできるので、さらに細かいフォローを継続して行うことが可能になります」

仮に若者自立支援ルームに来なくなった場合でも、「最近、どうしていますか？」

と連絡を入れることができる。精神疾患などの病気が進行していることも考えられるので、一度利用したことがある人に対して、まめな連絡を心がけている。

当然のことながら「ここは自分の居場所ではない」と、来なくなってしまう人もいる。特に親や学校に言われて仕方なく若者自立支援ルームに来た人は、馴染まないケースが多いという。それでも、施設にいる心理士がまめに声をかけて、ヒアリングしたうえで、スタッフと一緒に個別支援計画を立てて、一人ひとりのフォローをきめ細かく行っている。このオーダーメイドに近い支援計画によって、社会に居づらさを感じている人たちを救い上げて、社会で自立していけるよう、全力でバックアップをし続けている。

「この施設で本人に『何が必要なのか？』を聞き取ることが、支援計画の柱になっていきます。個人情報が絡む話なので、市の支援がなければ実現が難しい取り組みといえます」（青砥さん）

若者自立支援ルームには週に一回、さいたまユースサポートネットの就労支援担当者が足を運んでくる。自立できそうな人がいれば声をかけ、企業などでの就労体験、作業所などでの体験を促し、社会復帰への支援を行う。

しかし、現実は甘くない。働き始めたものの、周囲に馴染むことができず、退職してしまう人も少なくない。その話を聞いて、私がやるせない気持ちになっていると、横で話を聞いていた作田さんが言った。

「そんな時は、また若者自立支援ルームに戻ってくればいいだけの話です。戻れる場所であることが本当の〝居場所〟なんだと思いますよ。ステップアップも大事なことですが、今の時代はステップダウンすることも、大事なんだと思います」

その言葉に、少しだけ救われた気持ちになった。

情報の共有化で、誰一人取り残さない街をつくる

世の中が競争社会である以上、その流れについていけなくなる人が出てきてしまうのは致し方のないことである。しかし、この人たちを誰一人取り残さず、救うことが行政の使命であり、その人たちが社会復帰に失敗したとしても、何度でもチャレンジできる場をつくることもまた、行政の大きな役割といえる。

この街には生活にゆとりのある人もいれば、まったくゆとりのない人もいる。だからこそ、市は「教育」と「自立支援」の二本の柱を軸にして、すべての人が希望を持てる「住

みやすい街づくり」に力を入れる必要がある。

土曜チャレンジスクールでは、地域住民・保護者等から成るチャレンジスクール実行委員会が組織され、学校と「学校地域連携コーディネーター」「学習アドバイザー」「安全管理員」の3者が情報を共有し、子どもたちの勉強の支援にあたっている。また、若者自立支援センターでも、学校に行けなくなった人について区役所のスタッフと学校、心理士で情報の連携を取り、きめ細かな支援計画を作り、社会復帰へのバックアップを行っている。

これらの情報の共有と活用は、企業の人材採用と育成に役に立つところが多々ある。たとえば、大学を卒業したばかりの新入社員の中には、予想していた仕事と大きく異なる業務に就いたことで、挫折し、精神的に追い込まれて離職する人が少なくない。会社側は、なんとか立ち直らせようと手を尽くすが、先輩社員や上司という狭い人間関係の中だけでのフォローに終始してしまうので、多方面から悩みを深掘りして、救い上げることはできない。

人の悩みが多様化する昨今において、職場の悩みや不満は、多方面から集めることが必要だと思われる。たとえば、最近の面白い試みのひとつとして、会社の入社式に、新入社員の親が同伴するケースがある。親であれば、子の変化にいち早く気づくことができるので、事前に会社側と親が仕事の認識を共有していれば、違ったアプローチ方法で精神的なフォローに回ることができるかもしれない。「親が子どもの就職先にまで口を出すのは甘やかしすぎだ」と思われるかもしれないが、少子化で親子関係の絆《きずな》が以前よりも強くなっている時代背景を考えれば、親と会社側が情報を連携して新入社員の育成にあたっていくというスタイルは、あながち間違った施策とはいえないところがある。

実際、私のクライアントでも、親への感謝の手紙を社員が定期的に書いている企業や、子どもが働く職場に、親を招待して食事会を開く企業がある。これらの企業は総じて離職率が低く、従業員の仕事に対する満足度も高い。

親への感謝の気持ちは、お客への感謝の気持ちにつながるところがある。上司や先輩社員に打ち明けられないような話は、絆の強い父親や母親に相談する新入社員は少なくないと思われる。会社と親が仕事の認識を共有する仕組みづくりは、若い人の離職率の防止につながる可能性があるのではないだろうか。

社内でスポーツなどの部活動を通じて、部署間を超えた人付き合いをつくることも、情報を多方面で共有するための重要な施策になる。同じ部署の先輩には打ち明けられない悩み事を、他部署の人に気軽に相談できる環境をつくることで、新入社員の悩みを多方面からフォローすることができるようになる。

他にも、同期入社の社員同士の横のつながりを強化したり、新入社員の取引先と関係性を深めたりすることは、仕事で壁にぶつかった際に、きめ細かい支援策を講じる一手につながられる。特にコロナ禍《か》で人が集まることが自粛され、交流の場がなくなってしまった現状を考えると、仕事の悩みを第三者に相談したり、助けを求めたりする方法が分からない新入社員が、これから増えていくことが予想される。

人材採用が難しくなっている昨今、企業の離職率を下げることは急務といえる。多方面で仕事の認識の共有を行い、あらゆる方法で新入社員をバックアップしていく体制を整えることは、社員を大切に育てていかなければいけない企業にとって、重要な施策になるといえる。

さいたま市が「教育」を強みにして、人口増の政策を行っていることは理解できた。また、土曜チャレンジスクールや、若者自立支援センターの取り組みによって、誰一人取り残さない行政サービスを展開していることも、市の魅力になっていることも分かった。

次に気になるのが、小中高生に〝なる前〟の子どもを増やす政策である。生まれてから幼稚園に行くまでの、乳幼児を持つ親が住みたくなるようなさいたま市の取り組みが、これから10年、20年先の人口増の〝見込み客〟になる。

次の章では、さいたま市の「子育ての街」を検証し、若い親が移り住みたくなる街の魅力づくりについて掘り下げていきたいと思う。

第5章

さいたま市の0～14歳の子どもの人口が増える理由

女子大学生が「さいたま市に住みたくない」と答えたワケ

0～14歳の年少人口を増やすことは、市町村にとって大きなメリットになる。将来の納税者を増やすだけでなく、子どもが増えることは学校の活気、街の消費の増加につながる。街の活性化は、子どもの増加で決まると言っても過言ではない。

一方、街の年少人口の減少は、自治体の存続の危機に直結する。子どもの人口が減少すれば小中学校が廃校になり、若い子育て世代が移住しなくなる。必然的に街は高齢者ばかりになり、人口は減り続け、やがて病院、スーパーなどの生活のインフラが止まり、街は衰退の一途を辿っていく。

ビジネスでいえば、0～14歳の人口を増やすことは、新規客を増やすことと似ている。新規客を増やさなければ売上は伸びないし、常連客ばかりを相手にしていても、やがてそのお客たちは他店に浮気したり、引っ越したり、亡くなったりするので、売上は自然減となる。その事情を考えれば、新規客の獲得に力を入れようという話になるが、その新規客を獲得するためには、莫大なコストがかかり、常連客を集客するよりもひと手間もふた手間もかかる。

新規客の獲得には常連客を獲得するよりもコストがかかるといわれており、初めてのお客を呼び込むには広告や商品の値引きなど、販促コストが想定以上に発生する。マーケティング界隈《かいわい》では新規客と常連客の獲得コストの差が5倍以上あることから「1：5の法則」と表現しているぐらいで、新規客を獲得するためには、常連客を獲得するよりも難易度の高いマーケティング戦略を組む必要がある。

第2章でも述べた通り、2022年度のさいたま市の0～14歳の転入超過数は、1520人と全国の市町村の中でトップである。

2位の町田市の948人と大差をつけており、4位には新潮新書の『流山がすごい』で有名になった千葉県流山市（758人）が入る。5位には東洋経済新報社の「住みよさランキング」で2012年から2018年まで7年連続で全国1位になった印西市（713人）をダブルスコアで打ち負かしてのランクイン。つまり、さいたま市は首都圏を代表する住みやすい街をことごとく抑え込んでのトップであり、2015年から2022年まで8年連続で1位を取り続けている、年少人口の増加率では横綱級の強さを見せている街といえる。

0〜14歳の子どもたちが自分の意思で転居することができない以上、この年齢層の人口が増えているのは、純粋に「子育てしやすい街」という理由で、若い家族がさいたま市に引っ越してきていることが要因として考えられる。

「子育てしやすい街」と漠然と言われてもピンとこないところがあるが、ひとつの条件として考えられるのは、「地価が高くない」という事情が挙げられる。家族で住むには広いスペースの住宅が必要であり、その住宅に住むためには家を買うなり、借りるなりして、それなりのお金を払わなくてはいけないことになる。独身ならまだしも、高すぎる地価の街には、どうしても家族で住むのは難しくなる。

2022年度の住民基本台帳人口推移報告書を見ても、その動向は明らかである。0〜14歳の年少人口の転入超過数の多い市町村のトップ20の中に、東京23区も大阪市も入っていない。一方、15歳〜64歳の生産年齢人口の転入超過数を見ると、1位と2位に東京23区と大阪市がランクインしている。

つまり、小さな子どもを育てるのに適しているのは、地価の値ごろ感のある郊外の街であり、働きざかりの人の場合は、交通の利便性のいい都心部の街が支持される。そう考えれば、さいたま市が小さな子どもを持つ親が住みたくなる街として候補に挙がる理由にも

図表12　年少人口(0~14歳)と生産年齢人口(15~64歳)の転入超過数の多い上位20市町村

順位	0~14歳	転入超過数(人)
1	さいたま市（埼玉県）	1,520
2	町田市（東京都）	948
3	つくば市（茨城県）	766
4	流山市（千葉県）	758
5	印西市（千葉県）	713
6	八王子市（東京都）	668
7	藤沢市（神奈川県）	622
8	柏市（千葉県）	580
9	札幌市（北海道）	555
10	茅ヶ崎市（神奈川県）	463
11	糸島市（福岡県）	424
12	奈良市（奈良県）	413
13	小平市（東京都）	408
14	明石市（兵庫県）	406
15	枚方市（大阪府）	384
16	江別市（北海道）	376
17	箕面市（大阪府）	327
18	千葉市（千葉県）	313
19	合志市（熊本県）	289
20	上尾市（埼玉県）	277

順位	15~64歳	転入超過数(人)
1	東京都特別区部（東京都）	47,678
2	大阪市（大阪府）	13,188
3	横浜市（神奈川県）	8,814
4	さいたま市（埼玉県）	7,061
5	札幌市（北海道）	6,080
6	福岡市（福岡県）	5,571
7	川崎市（神奈川県）	5,228
8	船橋市（千葉県）	2,939
9	仙台市（宮城県）	2,920
10	つくば市（茨城県）	2,800
11	千葉市（千葉県）	2,509
12	相模原市（神奈川県）	2,326
13	藤沢市（神奈川県）	2,319
14	八王子市（東京都）	2,044
15	大和市（神奈川県）	1,937
16	流山市（千葉県）	1,822
17	川口市（埼玉県）	1,786
18	茨木市（大阪府）	1,692
19	尼崎市（兵庫県）	1,685
20	柏市（千葉県）	1,654

注：東京都特別区部は1市として扱う。
出所：「住民基本台帳人口移動報告 2022年」（総務省）

図表13　さいたま市以外に住む学生を対象にしたアンケート調査
（2023年６月、十文字学園女子大学の学生30名に実施）

さいたま市に移住したいですか？	
移住したい	２名
移住したくない	16名
どちらでもない	11名
無回答	１名

合点がいくところがある。

もうひとつ、独自で調査した興味深いデータがある。

２０２３年６月、さいたま市の近隣にある新座《にいざ》市の十文字学園女子大学で、メディア論の特別講義をさせていただく機会があった。講義を聴講してくれたさいたま市以外に住む女子大学生30人を対象に、「さいたま市に移住したいですか？」とアンケート調査をしたところ、一番多かったのが「移住したくない」16名、「どちらでもない」が11名と、さいたま市への移住にネガティブな回答をする学生が27名という結果になった。

対象者の分母が小さすぎて、参考に値しないアンケート調査であることは百も承知である。しかし、大学の最寄り駅の新座駅から南区の武蔵浦和駅まで電車で17分、乗り換えて大宮駅まで36分という立地であれば、もう少しさいたま市への憧れのような思いがあってもいいのではないかと思った。

さいたま市が0～14歳の転入超過率でトップでありながら、まだ家族を持っていない女子大学生からは「わざわざ移住してまで住みたくない街」と思われている。このような結果になったのは、首都圏に住む若者たちが憧れるのは、やはり大都市・東京なのである。子育ての環境に興味がない女子大学生にとったら、さいたま市は首都圏にあるひとつの街にしか過ぎず、若者には魅力が分かりづらい街になっているからだと思われる。

しかし、その後、結婚し、子どもを産み、育てるとなった場合、自分たちの経済力や交通の便、幼稚園や保育園の環境、公園や買い物の利便性など、様々な条件を照らし合わせてみると、「さいたま市は子育てに適している街だ」という結論に行き着くのではないだろうか。住みたい街の基準は年齢とライフスタイルと共に変わり、その結果、さいたま市は子育て世代に支持される街として評価されていると思われる。

共働きがしやすい街が年少人口を増やす

子育てに適している街には、「地価が高くない」という条件に加えて「共働きのしやす

図表14　共働き世帯数と専業主婦世帯数の推移（妻が64歳以下の世代）

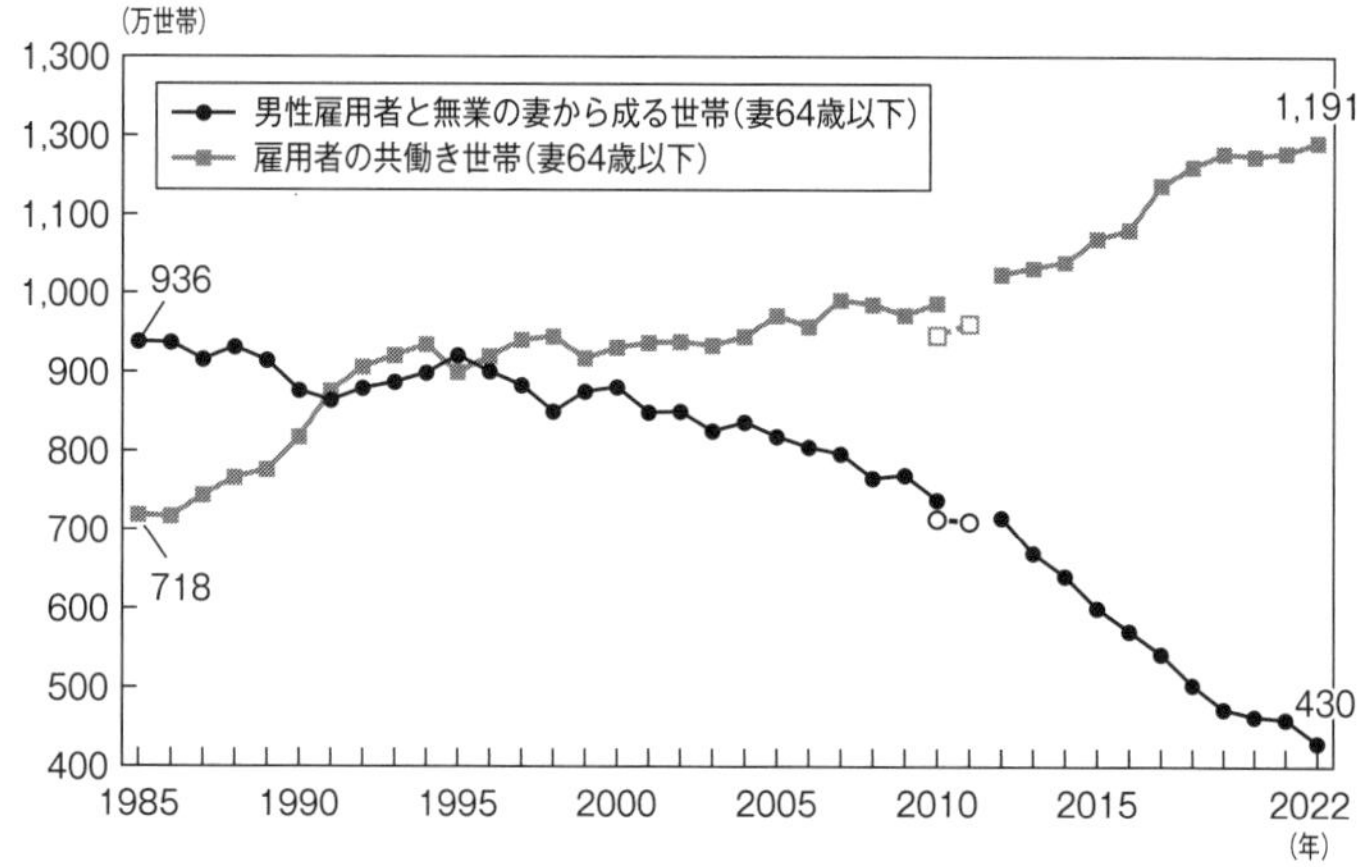

出所：「特集 新たな生活様式・働き方を全ての人の活躍につなげるために」（内閣府）

さ」が求められる。

内閣府が制作した２０２１年度の『男女共同参画白書』によると、雇用者の共働き世帯は増加傾向にある一方、男性雇用者の無業の専業主婦の世帯は減少傾向にある。

２０２２年の調査では専業主婦世帯が４３０万世帯に対して、共働き世帯は１１９１万世帯と２倍以上の開きがあり、夫婦共に働いている世帯がスタンダードになりつつあることがこのデータからも窺える。

共働きの世帯が増えた理由のひとつに、夫婦における意識の変化がある。男女共同参画局が発表した「『夫は外で働き、妻は家庭を守るべきである』という考え方に関する意識の変化」の調査によると、昭和から令和にか

図表15 「夫は外で働き、妻は家庭を守るべきである」という考え方に関する意識の変化

○性別役割分担意識に反対する者の割合は、男女ともに上昇傾向にある。
○2016年の調査から、反対する者の割合が賛成する者の割合を上回っている。

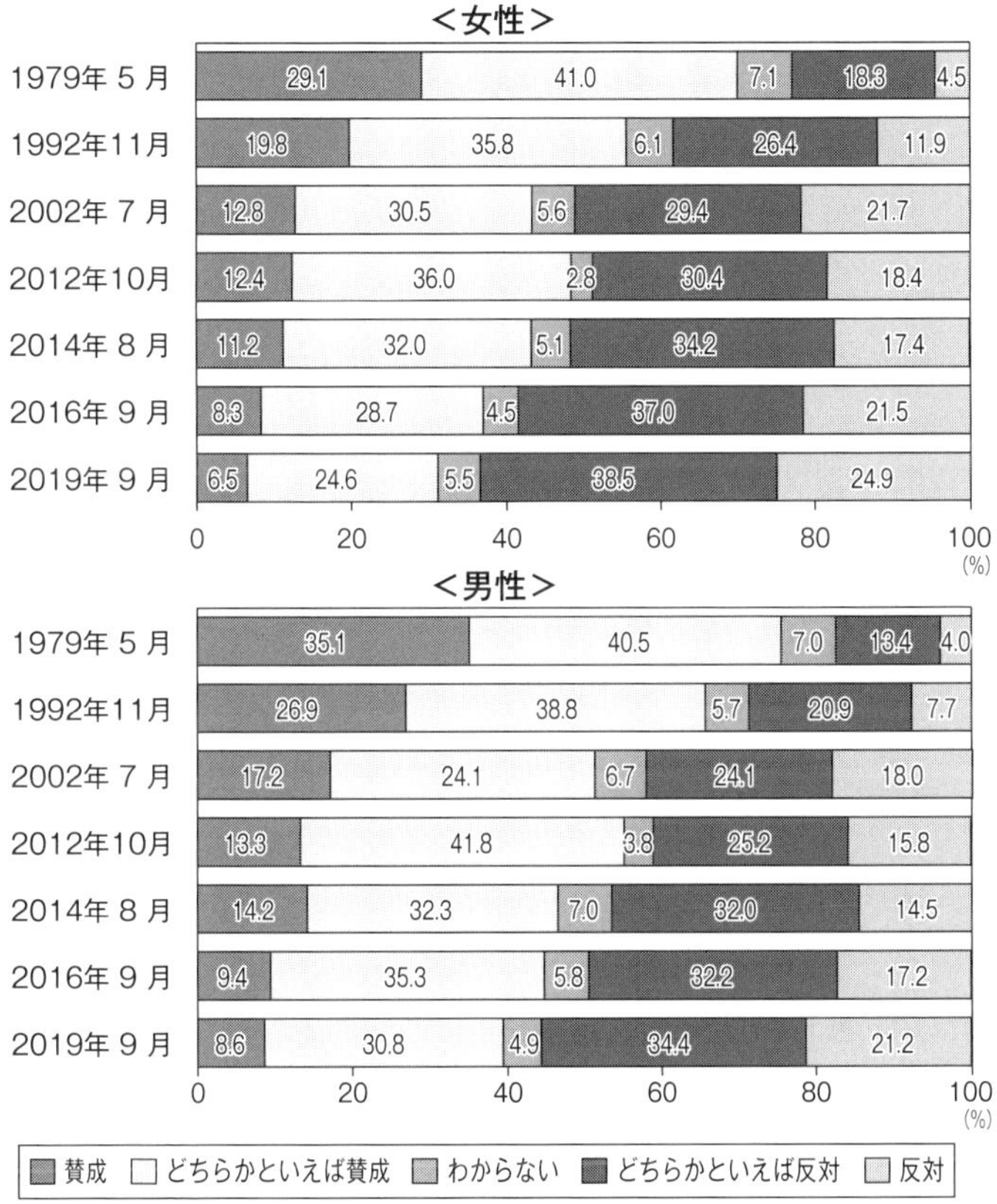

（備考）1. 総理府「婦人に関する世論調査」(1979年)及び「男女平等に関する世論調査」(1992年)、内閣府「男女共同参画社会に関する世論調査」(2002年、2012年、2016年、2019年)及び「女性の活躍推進に関する世論調査」(2014年)より作成。
2. 2014年以前の調査は20歳以上の者が対象。2016年及び2019年の調査は、18歳以上の者が対象。

出所：「男女共同参画白書 令和4年版」(内閣府)

けて、専業主婦が望ましいと思う男女が減り、一方で、女性が外に働きに出る考え方に賛同する夫婦が増えていることが分かる。

雇用における機会などを性別の差別なく確保することを定めた法令「男女雇用機会均等法」が１９８６年に施行されて、女性の社会進出が加速したことで、〝共働き〟という世帯が増えたことは、必然的な流れといえる。

もうひとつ、共働き世帯が増えた理由として考えられるのは「世帯年収の減少」である。厚生労働省が２０１９年に行った国民生活基礎調査によると、１世帯当たりの全世帯平均所得金額は１９９４年の６６４万円と比較して、２０１９年はマイナス１１２万円の５５２万円となっている。

全体的に給与が下落傾向にある一方、児童のいる世帯の平均所得金額は７４５万円と全世帯の平均所得金額を大きく上回る。つまり、子育て中の親は共働きの家庭が多く、世帯収入が一気に引き上げられている状況である。

しかし、同調査の収入別の意識調査を見てみると、全世帯のうち、生活が「大変苦しい」「苦しい」と回答した家庭は合わせて54・４%に対し、児童のいる世帯で生活が苦しいと回答した家庭は60・４%と高く、この数字からも子育て世帯の家計の状況が共働きで

図表16　各種世帯の1世帯当たり平均所得金額の年次推移

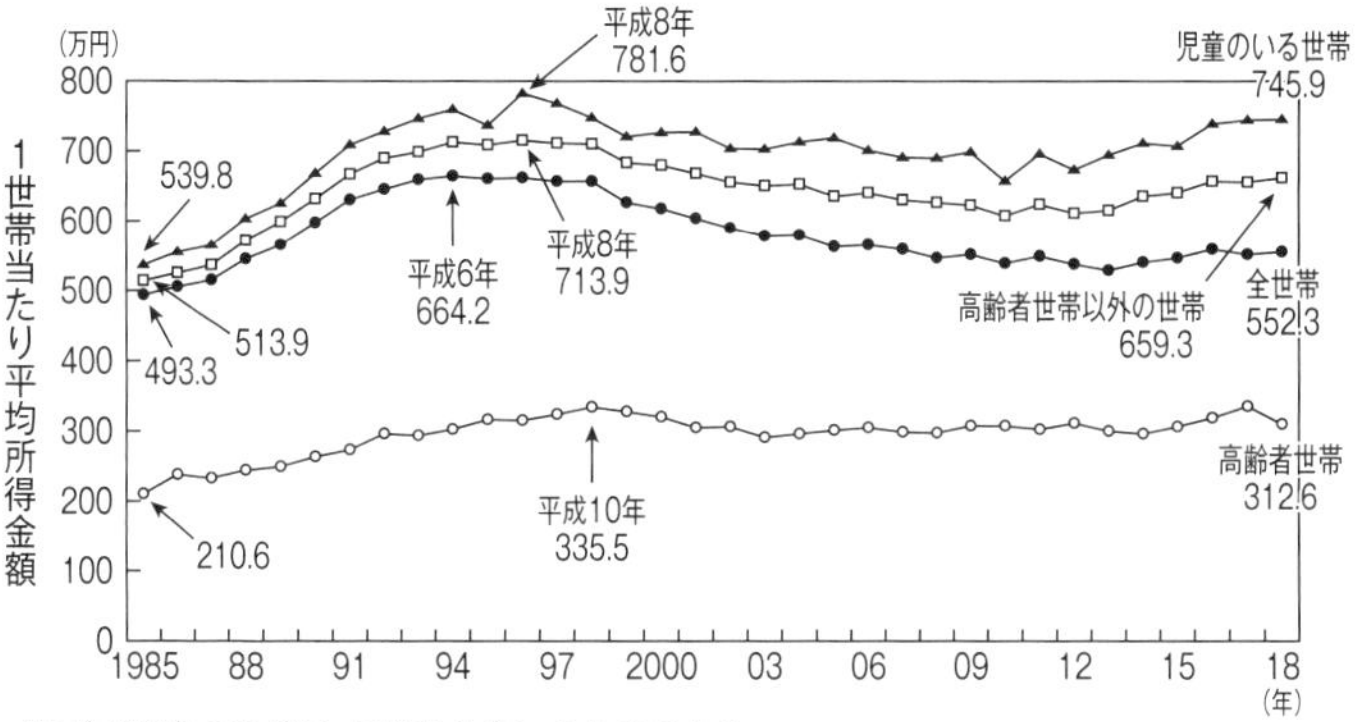

注：1）1994年の数値は、兵庫県を除いたものである。
2）2010年の数値は、岩手県、宮城県及び福島県を除いたものである。
3）2011年の数値は、福島県を除いたものである。
4）2015年の数値は、熊本県を除いたものである。

出所：「2019年 国民生活基礎調査の概況」(厚生労働省)

図表17　各種世帯の生活意識(2019年)

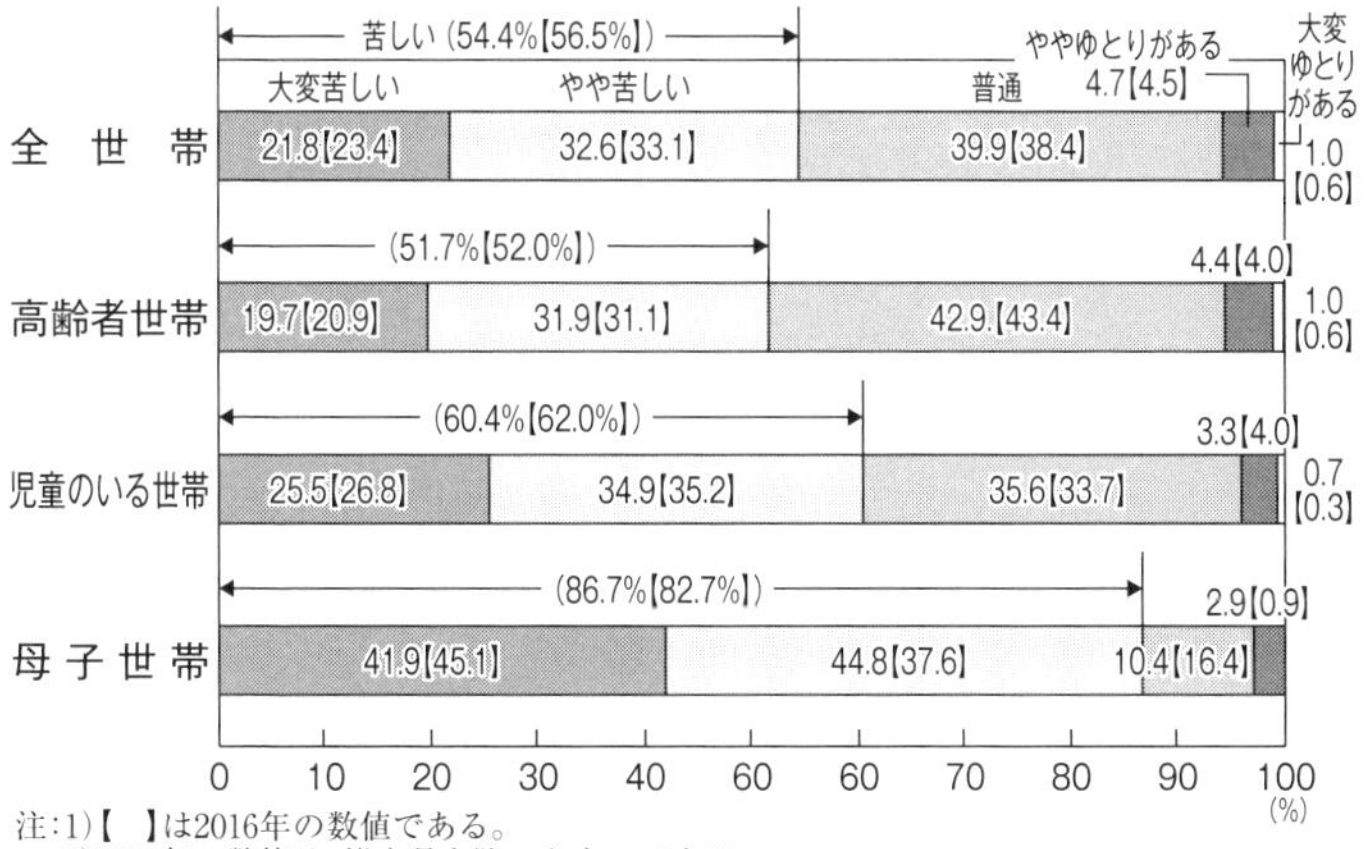

注：1）【　】は2016年の数値である。
2）2016年の数値は、熊本県を除いたものである。

出所：「2019年 国民生活基礎調査の概況」(厚生労働省)

あっても厳しいことが分かる。

このように、「子育てがしやすい街」というのは、「共働きがしやすい街」のことであり、夫婦で共に子どもを育て、子どもを預けて両親が働きに出られる環境が整った街が、若い夫婦世代に支持されるのである。

夏休みでも子どもを預かってもらえる「子育て支援型幼稚園」

さいたま市の子育て支援策について調べていると、1枚のリーフレットに行きついた。

「えっ⁉　働きながら幼稚園⁉」

でかでかと描かれたキャッチコピーの下には「子育て支援型幼稚園」という聞き慣れない言葉があった。サービスの特徴は以下である。

- 8時間以上の開園。
- 夏休みなどの長期休業中も通える。
- 預かり保育の利用料が原則無料。

土日祝日、年末年始、年間15日以内の園が独自に定める日を除き、毎日幼稚園に子どもを預けることが可能だという。また、さいたま市民で一定の要件を満たせば、このサービスを無料で利用することができる。

まさに共働きの世帯が望んでいる支援策といえる。生活面を中心に指導する保育園と違い、幼児教育を主体とする幼稚園に子どもを通わせたい家庭は多い。しかし、幼稚園の預かり時間は短く、長期の休みになると預かってもらえない。必然的に共働きの家庭では通園させることが難しくなってしまう。

図表18　さいたま市の子育て支援型幼稚園のリーフレット

しかし、子育て支援型幼稚園の制度を利用すれば、教育方針や施設の環境にあった幼稚園に通わせることができるようにな

り、長時間、長期休みでも子どもを預けることが可能になる。預かり保育の利用料が原則無料になれば、家庭の負担も軽減される。

0～14歳の子育て世代の家庭を呼び込むには絶好の行政サービスだと思い、早速、さいたま市に現地取材を申し込んだ。

「うちの幼稚園は強制的に子どもたちに何かをやらせるのではなく、『やりたい！』と思ったことを、周りの先生たちがその遊びを見ながら、一緒になって発展性を考えていくことを方針として掲げています」

北区にある銀鈴《ぎんれい》幼稚園の主任・嶋崎しのぶさんは、園の特徴について話してくれた。ホームページのキャッチコピーは「生きている限り、個性的、創造的でありたい人間の根っこを育てる」。2つの園舎に加えて、体育館とプールがある設備が充実している幼稚園だ。

「もともとさいたま市は、幼稚園に子どもを預ける家庭が多かったんです」

そう話すのは清水浩園長。しかし、幼稚園は預ける時間が短く、春休みや夏休みの長期休暇があるため、仕事をしながら子どもを幼稚園に預けることが難しかった。

そのような背景もあって、銀鈴幼稚園では預かり保育を20年以上前から始めている。

「だけど、保育料とは別に預り料を保護者からいただくことになるので、親の負担が大き

広い園庭のある銀鈴幼稚園

銀鈴幼稚園の清水浩園長（左）と嶋崎しのぶ主任（右）

くなることがずっと考えどころでした」

そこで2019年から始まったのが、さいたま市の子育て支援型幼稚園の制度だった。子どもに特色のある幼児教育を受けさせたいニーズは多く、銀鈴幼稚園のような自主性を高めてくれる幼稚園に子どもを通わせたいと思う親は多かった。

子育て支援型幼稚園のリーフレットにも書かれている「働きながら幼稚園」という言葉は、まさに共働き世帯の親にとって、渡りに船の行政サービスといえる。

働く理由が「お金のため」59%。母親の共働き事情

2019年に17園でスタートした子育て支援型幼稚園は、導入から5年で48園に増えた。さいたま市内の幼稚園の5割弱を占め、この数字からも利用者が増加していることが窺い知れる。

子どもを通わせている世帯のうち、どのくらいの家庭が共働き世帯なのか清水園長に聞いたところ、印象としては、扶養以内で働いている人が6〜7割といった感じだと言う。

さいたま市は勤労者世帯可処分所得で1位の街である。東京近郊の都市として高収入の

サラリーマンが多いことが要因として考えられるが、子育て支援型幼稚園のような共働きの世帯への手厚いサービスがあることも、世帯年収を全体的に引き上げている要素のひとつになっていると思われる。

「それでも、昔とは比較にならないほど働いているお母さんは増えましたよ」と清水園長は言う。働く理由も変わってきている。昔は「夫に気兼ねなく自由に使えるお金が欲しい」という理由で、パートやアルバイトで働く母親が多かった。しかし、最近は働いたお金を生活費にあてている家庭が増えている印象を受けるという。

「働きたいから子育て支援型の幼稚園を選んだというよりも、子どもを預けたら、そこの幼稚園が働ける環境になっていたから働き始めたという保護者が多いのかもしれません」

幼稚園に子どもが預けられるようになったことで、母親が社会との接点を持ちやすくなることは子育てにおける大きなメリットである。特に母親が子育てだけに集中していると、精神的に追い詰められてしまう。子育て支援型幼稚園の制度は、保護者のセーフティネットになっている面は大いにあるといえる。

しかし、利便性の高い制度があったとしても、母親が必死になって働かなくてはいけない環境であることは何も変わらない。

マイナビが22歳から40歳の子育てをする母親に「働く理由」を尋ねた調査によると、「お金のため」と回答した人が59％で最も多く、「仕事が好きだから」（14％）、「社会的つながりが欲しいから」（14％）を大きく上回る結果となった。

子どもを預けて働ける環境が整っていることは素晴らしいことではあるが、一方で、働ける環境であるがために、働かざるを得なくなってしまう母親が増えていると思うと、改めて共働き世帯の子育ての環境づくりの難しさを痛感してしまう。

清水園長は、子育て支援型幼稚園の運営の難しさも語る。

「長時間預けられる施設を運営するためには、新たな人材の採用が必要不可欠です。保育園はシフト制なのでまだ人材を確保することが可能ですが、幼稚園は新たに15時以降に働いてくれる人材を確保しなくてはいけません」

人口が増え続けているさいたま市であれば、人手不足でも容易に採用できるのではないかと質問したところ、「そんなことはありません」と首を大きく横に振った。

「少子化の波は幼稚園教諭の採用のところまで押し寄せてきています。人口が増え続けているさいたま市でも採用は厳しいです。だからといって、共働きの家庭が増えれば、預ける子どもが増えていくので、子どもたちの面倒を見てくれる人も増やさなくてはいけません。人材難を抱える幼稚園では採用問題が大きな課題になっています」

少子化の問題を抱える日本において、人口を増やす政策は大きなテーマになっている。しかし、世帯収入が上がっていない現状を考えると、子育てをするなら共働きというライフスタイルを取らざるを得なくなる。

いくら自治体が「子育ての環境を整えました」と言っても、「お金のために働く」という環境が続くことは、母親にとっても父親にとっても大変な状況であることは変わりない。これは自治体の政策を超えた日本経済全体の根深い問題であり、すぐに解決できる話ではない。

そこに拍車をかけているのが幼稚園教諭の人材不足である。預けたい人が増えても、預かってくれる人が増えなければ、根本的な問題は解決しない。人口が増え続けているさいたま市は、今後もそのジレンマと戦っていかなくてはいけない。

さいたま市が取り組んでいる子育て支援型幼稚園の政策が、今後、日本社会の歪《ひず》みにどう対応していくのか、その動向に全国から注目が集まっている。

子育てに協力的なお父さんを育てる「パパサンデー」

日曜日の午後、浦和駅近くにある「子育て支援センターうらわ」に、子連れの親子が10組ほど集まっていた。ヨチヨチ歩きの子どもから、ようやく立ち上がれるぐらいの子どもまでの、いわゆる〝赤ちゃん〟が集結して行われるのは、「パパサンデー」と呼ばれるさいたま市の子育て支援のイベントのひとつである。〝パパ〟という名称はついているものの、母親も参加可能で、当日も10組のうち、母親のみの参加が2組、父親のみの参加が1組で、残り7組は夫婦による参加だった。

スタッフがマイクを持って登場すると、会場に音楽が流れ、親子で楽しめる手遊びがスタートした。リズムに乗った手遊びに子どもたちが笑い出し、その姿を見て父親と母親が一緒になって手遊びを楽しむ。

その後、スタッフが父親と母親のところにマイクを持って回りながら、「お子さんの凄いところはどこですか?」と聞いて回った。父親が照れくさそうに「頑張って遊ぶところ」「毎日笑顔でいてくれるところ」と自分の子どもを褒《ほ》めたたえると、会場にいた親た

子育て支援センターうらわの「パパサンデー」の様子

ちから一斉に拍手が送られる。父親は真剣にスタッフや周りの人の話に耳を傾け、時にはメモを取り、大きく頷いている人もいる。その姿を見ていると、子育て支援というよりも〝父親支援〟と表現したほうが近いかもしれない。

日曜日となれば、働いている父親はゆっくり休みたいと思うはずである。家でゴロゴロしていたいし、ゴルフや釣りにも行きたい。その大事な休息の日曜日に、「子育てに参加したい」という理由で、パパサンデーに参加する人が、これだけたくさんいることに驚かされた。

パパサンデーが終了した後、参加した父親に話を聞いてみた。

「最初は行きづらい思いもありました。でも、妻の誘いで行ってみると、思いのほか楽しくて、今回で3回目の参加になります。平日は妻と子どもで二人っきりで大変ですからね。これを機会に少しでも子育てに参加できればと思っています。子どもの交流の場を通じて、子育ての父親仲間ができれば嬉しいですね」

その言葉を聞いて、自分自身の子育てに対する考え方が古いことに気づかされた。

パパサンデーが行われる「子育て支援センター」は、親子同士の触れ合いの場として、0〜3歳未満の乳幼児を連れた親子が利用できる無料施設である。会場には玩具や絵本などが置いてあり、平日土日問わず、親子で遊びに来ることができる。近隣の親子の集いの場となっており、施設では子育ての情報や、子育ての相談なども受け付けている。保健センターの代わりのような役割も担っており、子育て中の親のコミュニティの場としても活用されている。

この「子育て支援センター」は多くの市町村に設置されているが、人口130万人を超えるさいたま市には、単独運営型の子育て支援センターが10区に各1施設ずつあり、保育所と併設されているものは55施設と充実している。各施設、規模や人員の数はバラバラだが、概ね常勤1名、非常勤1〜2名が待機している。各施設が独自で様々なプログラムに取り組み、バラエティに富んだ子育て支援を行っている。

その中でも、父親支援の「パパサンデー」は、さいたま市の子育て支援を色濃く表す取り組みのひとつである。少しでも男性に子育てに参加してもらおうという狙いで、月に4回、日曜日に開催されていて、〝パパ〟という名称をつけることで、普段は子育て支援センターに足を運びづらい父親が参加しやすい環境を整えた。

父親が子育てに参加するようになれば、女性の家事の負担は大幅に軽減される。共働きが多いさいたま市の家庭にとって、非常にありがたい子育ての支援策であり、子育てのことが分からない新米お父さんにとっても、パパサンデーは貴重な情報収集の場となる。

さいたま市では、パパサンデー以外の父親参加型のプログラムを多数用意している。父親の子育ての知識の情報がまとまった「父子手帖」の配布や、保育士や幼稚園教諭の補助をしながら子どもたちと遊ぶ父親向けの「1日保育士、幼稚園教諭体験」、父親同士で子育てに必要な技術や知識が学べる「さいたまパパ・スクール」など、父親の子育て参加を促す施策は、他の市町村よりも多い。

97％の父親が「育児に関わりたい」と回答

父親向けの子育て支援が充実している理由は、導入時期の早さに所以がある。パパサンデーが導入されたのが２０１５年、働き方改革や男性の育児休業がまだ社会に浸透していない時期に、すでに「共働き世帯は父親の育児参加が必要不可欠」という考え方が、さいたま市には存在していたことになる。実際、働き方改革法案が国会で成立したのが２０１８年と考えれば、いかにさいたま市の「パパサンデー」への取り組みが早かったのかが窺える。

「大企業を中心にリモートワークの実施や、育児休業等に関する就業規則や福利厚生の改変など、子育て中の方の働く環境は大きく変わってきています。実際の利用者にもリモートワークで働くお父さんがとても多いんです。そのせいか、コロナ以降は父親の育児参加率が急激に増えた印象です。自宅で子育てしながら仕事ができるようになったことで、今後は子育てに参加する親の考え方も大きく変わっていくのではないでしょうか」（施設長）

数字からもその変化が見て取れる。コロナ禍の２０２０年度のさいたま市の子育て支援センターの男性保護者の利用者数は1099人だったのに対して、コロナが収束に向かっていった2022年度は、開所日を増やした影響もあって2421人まで増加している。すでにコロナ前の利用者数に迫る回復を見せており、子育てに対する親の取り組み方が大きく変わりつつあることが窺える。

「コロナ前までは、母親の一人の時間をつくるためとか、留守番代わりとか、そういう理由でパパサンデーに参加するお父さんが多かったんです。でも、今は子育てに積極的に参加したいという理由で参加する人のほうが増えていますね」（施設長）

パパサンデーに参加する父親へのフォローも手厚い。スタッフが常に会場を見て回り、孤立している人がいないかチェックする。父親から気楽に話しかけてもらえる雰囲気をつくり、同じ月齢ぐらいの子どもを連れた家族がいれば、自分たちがハブとなってコミュニケーションの場を設ける。

「パパサンデーは、お父さんに自信をつけてもらう場でもあるんです」（施設長）

家庭で父親が子育てを手伝っても、子どもの世話を毎日している〝プロ〟の母親から見れば、「そんなの手伝っているうちに入らないわよ！」と、一喝されてしまう。そのため、パパサンデーに夫婦で参加した親子がいれば、極力、スタッフは父親の子どもへの関わり方などを具体的に褒めることを心がけているという。「良い言葉がけをしていますね」「お子さんをよく観察していますね」と声をかけることで、父親は自信を持つようになり、さらに子育てに積極的に参加するようになる。

「いくらなんでも父親を甘やかし過ぎではないか」と質問すると、施設長からこんな答えが返ってきた。

「時代が変わったんだと思います。今はワークライフバランスを重視して、夫婦2人で子育てを『楽しむ』という考え方が主流なんです」(施設長)

ますます自分の子育てに対する考え方が古いことを思い知らされた。

家族向けイベントの企画運営を手掛けるママカラが明治と共同で25～39歳までの0歳児の子どもがいる男性590名にアンケート調査を行ったところ、「育児に関わりたい」と回答した人は97％に達した。

また、厚生労働省が発表した2021年度の雇用均等基本調査によると、父親の育児休業の取得率は9年連続で上昇しており、過去最高の13・97％にまで達している。「2025年までに男性の育休取得率30％」の目標を掲げる日本政府は、さらに男性の子育て支援に力を入れていくと思われる。さいたま市の英語教育の取り組みと同じで、政府

図表19　子育てに関わりたい男性の割合

あなたの希望として、積極的に育児に関わりたいと思いますか

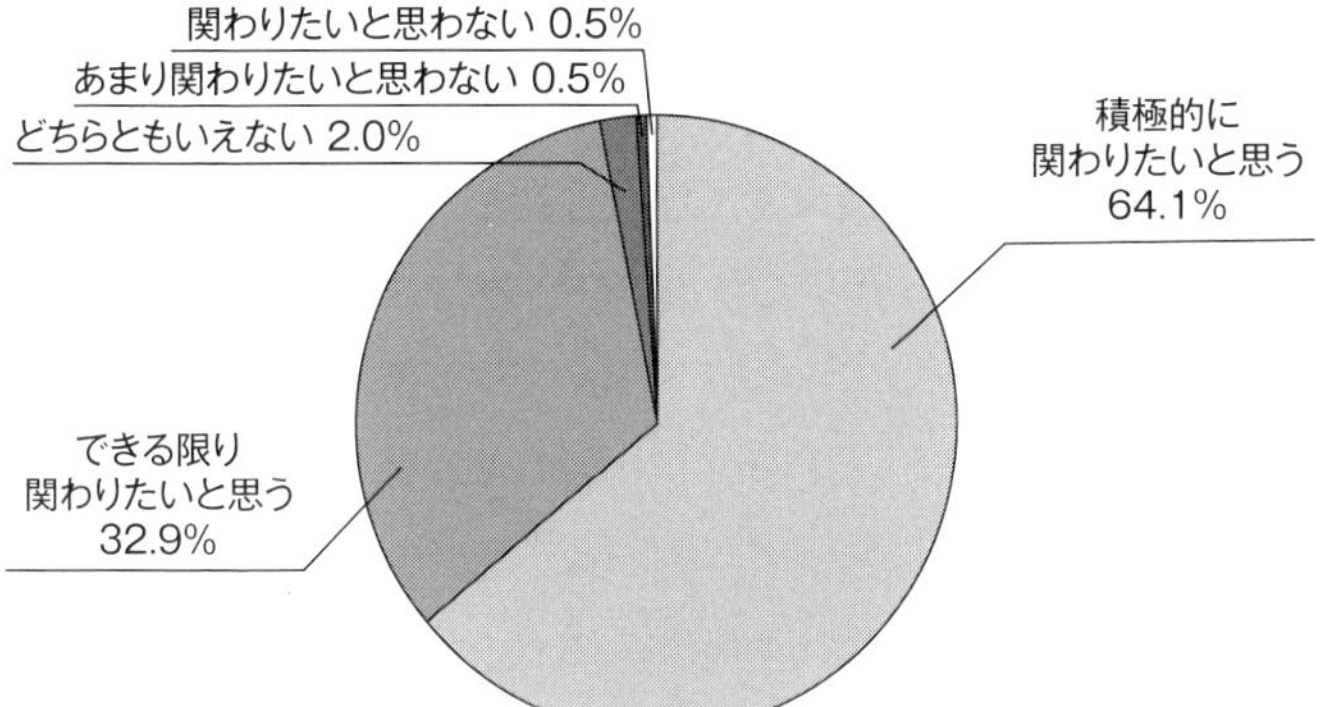

出所：2021年6月「0歳児パパの育児意識や育児参加状況」㈱ママカラ、㈱明治の調査結果より
「育児に積極的に関わりたい」(64.1％)「できる限り関わりたい」(32.9％)と回答した父親の合計は97.0％に上っており、多くが育児に対して前向きな姿勢を示している。

の取り組みよりも一歩先を行くさいたま市は、父親の子育て支援でも全国の市町村のトップを独走していると言ってもいい。

父親の子育て支援に力を入れている街になれば、その取り組みに賛同する女性は多いはずである。父親への子育ての必要性を、妻に代わって行政が〝教育〟してくれるのであれば、夫婦間で言いづらいことも言わなくて済むようになる。統計的な数字は存在していないが、もしかしたら、子育てを起因とした夫婦喧嘩の数は、他の自治体に住む夫婦よりもさいたま市は少ないのかもしれない。

そういう視点で考えれば、さいたま市の0～14歳の子どもが増えている理由は「東京に近いから」という交通の便だけが理由ではな

いのかもしれない。父親への子育てへの参加の支援が充実すればするほど、共働きがしやすい街になっていることが、若い夫婦に支持される都市の理由になっている可能性は十分にあるといえる。

年少人口を増やす「CS」と「ES」の関係

さいたま市の年少人口が増加した理由として、「子育て支援型幼稚園」と「パパサンデー」の2つの施策が少なからず起因していると思われる。特に共働きの環境を整えることは、世帯収入の高いさいたま市の若い世代にとって、「この街に住みたい」と思わせる魅力のひとつになっているといえる。

そして、これら2つの支援策は、ビジネスにおけるCSとESの関係性に近いといえそうである。

CSとは、「Customer Satisfaction」（カスタマー・サティスファクション）の略で、「顧客満足度」を意味する言葉である。一方、ESは「Employee Satisfaction」（エンプロイー・サティスファクション）の略で、日本語では「従業員満足度」と訳される。一見、顧客満足度と従業員満足度は真逆に見えるが、実はこの2つは密接な関係性がある。

東京海上日動コミュニケーションズの田口浩氏が発表した論文「コンタクトセンタにおける社員満足度と顧客満足度の関係性について」によると、社員満足度が前年よりも下がった年には、必ず顧客満足度も下がり、社員満足度が上がった年には顧客満足度は上がっているという。また、ザ・リッツ・カールトン・ホテルは従業員も顧客と同じように紳士淑女として大切に接し、従業員第一主義を貫くことで、手厚いサービスをお客に提供できているというのは、有名な話である。

このように、CSを上げるためにはまずESを上げることが重要であり、多くの企業が従業員の満足度を上げるために、様々な施策に取り組んでいる。

さいたま市が子育て支援策の取り組みとして、次のステージに上がっていくためには、保育士や幼稚園教諭の採用の強化が急務といえる。

子どもたちと接する人たちの職場に余裕ができれば、気持ちにも余裕が生まれ、子どもを預ける保護者の心にもゆとりが生まれるはずである。もちろん、生活費を稼ぐための「働かされている感」は残るかもしれないが、先ほどのCSとESの関係性を考えれば、保育士と幼稚園教諭の満足度を高めることは、〝顧客〟である親や子どもの満足度が高まっていくことに直結していく可能性がある。

「パパサンデー」を通じて見えてくる子育て支援策にも、同じことがいえる。女性の子育ての満足度は、男性の子育て支援状況によって変わってくるものであり、若い世代の夫婦の満足度は、男性の育児や家事への参加によって決まると言ってもいい。

誤解を恐れずにいえば、母親という〝顧客〟と、それを取り囲む支援環境を〝従業員〟として捉えれば、父親の子育ての満足度を高める自治体の活動は、イコールで育児と仕事に追われる母親の日々の生活の満足度につながるといえる。

企業の中にも、顧客満足度を上げるために、過剰なサービスや大幅な値引きを展開して、必死に顧客をつなぎとめることに力を入れているところがある。しかし、本当の顧客満足度を得るためには、従業員の満足度を上げることであり、働き手に心と身体にゆとりを持ってもらえる職場環境を整えることが、長期的な顧客満足度の維持につながる施策になるといえる。

次の章では、獲得した市民の満足度を上げて、さいたま市のファンに育てていく施策について検証していきたい。街の魅力づくり、ブランドづくりの取り組みは、ビジネスに携わる人にとっても大いに参考になるテーマである。

第6章

スポーツは街の結束感と愛着心を高める

さいたま市に受け継がれる三大祭り

優良顧客をつくるためには、売り手側と買い手側のコミュニケーションを深めることが必要不可欠である。接客や営業で直接顔を合わせて、会話をすることはもちろん、ダイレクトメールを定期的に送付したり、イベントを開催したり、顧客との接点を増やすことが、会社やお店との仲間意識を高めて、優良顧客をつくる足がかりになっていく。

これはビジネスだけでなく、行政でも同じことがいえる。住民に対して仲間意識や結束感を持ってもらうことは、地域の自治体の強い絆を生み、住みよい街づくりへとつながっていく。地元の小中学校の運動会や自治会の活動、夏祭りや盆踊り大会など、様々なイベントに住民が参加することで、「この街が好きだ」と思ってもらうことが、地域住民の結束感となり、住み続けてもらえる愛着心として浸透していく。

さいたま市には合併前の旧市時代から「大宮夏祭り」「浦和おどり」「与野夏祭り」などの魅力的な地域イベントが多数存在している。花火大会が行われたり、音楽パレードが開催されたり、各地域で大きな盛り上がりを見せている。

しかし、全国区の祭事と比較してしまうと、やはり知名度と規模では見劣りしてしまう。また、旧市で祭りを開催することは、地域の結束感は生むものの、さいたま市全体への地域愛にはつながりにくい。各地域でその街に対しての愛着が強い分、どうしても統一感には欠けてしまうところがある。

だからといって、3つのお祭りを統合して、ひとつのイベントにしてしまうことは、相当な乱暴な話になる。市民の反感を買うのはもちろんのこと、歴史のない街が大きな祭りを開催しても、結束感や愛着感を生むほどの魅力的なイベントにはなりにくい。

日本三大祭りのひとつの京都の「祇園祭」は、千年以上の歴史を持ち、青森県の「青森ねぶた祭」は奈良時代から続く祭事である。人を魅了する祭りには必ず伝統が必要であり、2001年に誕生したばかりのさいたま市では、日本らしい伝統的な祭りを開催することは困難といえる。

山や海などの大自然に囲まれて、観光名所が至る所にあるような街であれば、大掛かりなイベントを開催することができたかもしれない。しかし、そのような魅力的なスポットを持たないさいたま市では、市民に愛着を持ってもらえるような、大きな祭事を開催するのは難しいのが現状である。

難しい「スポーツ」というコンテンツに挑んださいたま市

市民に地域愛を持ってもらうために、さいたまスーパーアリーナや埼玉スタジアム2〇〇2などの大型スポーツ施設があるさいたま市は、「スポーツ」というコンテンツをフル活用したまちづくりを手掛けた。盆栽・人形やうなぎの食文化などは、長い伝統や歴史があるものの、有名な観光地を持たないさいたま市にとって、誰もが自由に参加し、観戦することができるスポーツは、全国の伝統的なお祭りに匹敵する唯一のイベントだったといえる。

実際、さいたま市にはスポーツをメインコンテンツに据えるだけの歴史的な背景がある。「埼玉サッカー発祥の地」として100年以上の歴史を持ち、Jリーグの浦和レッズと大宮アルディージャをはじめ、WEリーグの三菱重工浦和レッズレディース、大宮アルディージャVENTUSのホームタウンでもある。身近なところにサッカーがあることから、スポーツを市民の結束力のよりどころにすることは、突拍子もないイベントを開催するよりも現実的な取り組みといえる。

さいたま市役所にある埼玉サッカー発祥の地の記念碑

浦和レッズレディースの優勝で盛り上がる浦和駅近くの商店街

「スポーツは〝当たり前〟と思われているものだから、イベントや企画に落とし込んで、政策として打ち出すのはとても難しい取り組みになるんです」

そう話すのは、一般社団法人さいたまスポーツコミッションの遠藤秀一会長である。主にさいたま市のスポーツ振興と地域経済を活性化することを目的として作られた団体で、スタッフはさいたま市のスポーツ政策室から派遣された人を含めて、約20名で構成されている。

余談だが、さいたま市のスポーツ文化局約100名のうち、43名がスポーツ部に振り分けられており、この数字からも、さいたま市のスポーツに対する〝本気度〟を窺い知ることができる。

遠藤会長の言う「スポーツは政策として難しい」という表現は理解できる。スポーツはやりたい人が勝手にやるものであり、自治体がとやかく口を挟むものではない。わざわざ税金を使って、「スポーツで街を活性化する」と言われても、多くの人がイメージできない取り組みといえる。

「さいたま市がスポーツの政策に舵を切ったのは、市長が公約に掲げ、2011年に制定された『さいたま市スポーツ振興まちづくり計画』が発端でした。スポーツによって街を

一般社団法人さいたまスポーツコミッション 遠藤秀一会長

活性化していくという取り組みだったんですが、市民は『スポーツは勝手にやります』というスタンスですから、そこをどうやって街づくりに落とし込んでいこうか、非常に悩みました。市民に向けて、ただ『スポーツをやりましょう！』と宣言するだけでは、意味がないですからね」

遠藤会長は、まずは具体的な計画を立て、運動に対する意識調査や年間のスポーツ日数（週1回以上スポーツをする市民の割合）などを指標にし、その目標の達成に向けて、具体的に何をすればいいのかを取り決めることにした。その後、市長の公約のひとつで、全国初となるスポーツを経済活性化につなげる「さいたまスポーツコミッション」（ＳＳＣ）

を創設。スポーツをスポーツとして終わらせるのではなく、それを街の活性化につなげて、さいたま市の魅力のひとつとして大きく打ち出すことを戦略の軸に置いた。

面白いのは、SSCの事務局が置かれた場所である。スポーツを地域の振興策に取り入れている市町村は、事務局を市役所の中や、体育館に設置するケースがほとんどである。しかし、さいたま市のSSCは立ち上げ当初から事務局を観光協会の中に設置し、観光ツーリズムとスポーツツーリズムを連携させることを前提として取り組みを始めた。この点からも、さいたま市がスポーツを市の強みにしていく覚悟が伝わってくる。

その後、さいたま市は首都圏の中でも屈指のスポーツ都市として発展を遂げることになる。

さいたま市の主なスポーツイベントは3つある。1つ目は、毎年11月に開催される自転車ロードレース「ツール・ド・フランスさいたまクリテリウム」。2つ目は、2月に開催されるランニングイベント「さいたまマラソン」。3つ目は、毎年3月に行われる見沼田んぼを歩くウォーキングイベント「さいたマーチ」である。

この3つのイベントが要因となり、「ウォーキング」「サイクリング」「マラソン」をする市民の割合が大きく伸びた。週1回以上スポーツをする市民の割合が2010年の39・

ツール・ド・フランスさいたまクリテリウム

2023年まで開催されていた「さいたまランフェス」は、2024年から「さいたまマラソン」として開催される

さいたマーチ

図表20　さいたま市と堺市のイベントの経済効果の比較

さいたま市の三大イベントの経済効果（2018年）	堺市の三大イベントの経済効果（2012年）
●ツール・ド・フランスさいたまクリテリウム……30億4700万円	●第38回堺まつり……14億1900万円
●さいたま国際マラソン……37億3000万円	●第36回堺市農業祭……1億8600万円
●さいたマーチ……2億6200万円	●第37回堺市民オンピック……4800万円
合計　70億3900万円	合計　16億5300万円

※経済効果は測定方法によって調査結果に誤差が生じる
出所：さいたま市、公益法人・堺都市政策研究所

7％から2021年に70・6％となり、31ポイント、約2倍に伸びたという。

注目すべき点は、この三大スポーツイベントの経済効果である。コロナ前の2018年にさいたまスポーツコミッションが発表したデータによると、「ツール・ド・フランスさいたまクリテリウム」で30億4700万円、さいたまマラソンの前身「さいたま国際マラソン」で37億3000万円、「さいたマーチ」で2億6200万円と、合計で70億3900万円の経済効果を生み出している。

比較するデータがやや古くなってしまうが、2012年に同じ政令指定都市の堺市の公益法人・堺都市政策研究所が発表した「堺三大まつりの経済波及効果」によると、「第38回堺まつり」の経済効果が14億1900万円、「第36回堺市農業祭」が1億8600万円、「第37回堺市民オリンピック」が4800万円、合計16億5300万円と、さいたま市のスポーツイベントのほうが経済効果だけを見れば、かなり善戦していることが分かる。

イベントが終了した翌日から来年の準備が始まる

スポーツイベントの誘致から開催までの流れは、想像している以上に大変な作業となる。

たとえばツール・ド・フランスさいたまクリテリウムの場合、そもそもこの大会の誘致は市長が自らフランスのパリに行き、ツール・ド・フランスを運営するA.S.O.社と直接、交渉して決定したもの。フランスのツール・ド・フランスの主催者側との交渉に始まり、コースの決定、警備の協議、沿道の調整など、様々な準備が必要となる。海外選手の招聘も開催1カ月前ぐらいにならなければ分からないことが多く、怪我《けが》などが理由で、開催直前にスケジュールが変更されるケースも発生する。

その中でも意外に大変なのが、協賛金集めである。

「サポーターの有料席は2000席用意していますが、それでカバーできるのは全体予算の10%ぐらいしかありません。沿道にいる10万人が入場料無料で観戦できるスポーツイベントなので、協賛金を集めるために各企業を奔走しなくてはいけません」（遠藤会長）

大会当日もスタッフは大変である。会場周辺では自転車の乗り方教室などのイベントが開催され、さいたま市の食材をアピールする「さいたまるしぇ」のイベントとも連携しなくてはいけない。

「もっとも重要なことは、事故を起こさないことです。事故を起こしていないから8年間

もこのスポーツイベントを続けることができているし、沿道で10万人が楽しく観戦することができているんです」（遠藤会長）

特に雑踏事故には細心の注意を払う。袋小路になっている道や人の動きが鈍くなりそうな場所を事前に把握、警察と連携しながら事故の防止に努める。

この壮大なスポーツイベントは、いつ頃から準備を始めるのか遠藤会長に聞いてみた。

「イベントが終わった次の日からですよ。特に来年の2024年は第10回の周年イベントになりますから、2年前の今から動き出しています」

必死に働く裏方の職員あってこそのイベントといえるのである。

このような大掛かりなスポーツイベントが開催できるのも、サッカー都市として成長してきた経験が大きい。2003年から海外の有力サッカーチームを招聘して4年に1度開催される「さいたまシティカップ」は、交渉からスポンサー集め、観客動員の手法などが、すでにフォーマット化されている。

Jリーグのチームの国際試合を取り仕切った経験がない都市で、いきなりツール・ド・フランスさいたまクリテリウムのような国際的な自転車競技を行うのは、かなりハードルが高い試みとなる。そういう点から見れば、スポーツという武器を地域の活性化のツールとして活用したさいたま市の方針は、〝強みを生かす〟という面で、かなり効率的な政策だったといえる。

さいたま市が次に挑戦するのは、フルマラソンのイベントである。2022年と2023年はハーフマラソンの「さいたまランフェス」を開催してきたが、2024年2月には42・195キロを走るフルマラソンを開催する。〝走るだけ〟のイベントなので、自転車ロードレースよりも手間はかからないと思いきや、人口が増え続ける街だからこその大きな問題が立ちはだかる。

「42・195キロであれば、さいたま市を南北に走ったほうがいいんです。しかし、南北は物流拠点となる主要道路が多く、高速道路の出入り口も多いから1日でも止めることができないんです。だから、市を東西に走るコースを設定するしかありません」

コースは2019年まで行われていた「さいたま国際マラソン」とほぼ同じコースになる。さいたまスーパーアリーナを発着点として、埼玉スタジアム2〇〇2や新見沼大橋などを巡り、越谷市の一部を走る。当日はフルマラソン以外の短距離を走るマラソンイベントも行なわれ、親子ランや車いすの部、ビギナー向けの走り方教室などユニークなイベントも行われる。

「ハーフマラソンが倍の距離になったからといって、予算と手間が倍で済む話ではないんです」（遠藤会長）

スポーツイベントの裏方の仕事は、想像以上の苦労がある。参加したり、観戦したりする立場だと、なかなか見えづらいところでもある。

スポーツが市の財政の強化につながる理由

さいたま市がスポーツコンテンツに注力するひとつの理由に、都市の高齢化問題が挙げられる。２０２１年にさいたま市の高齢福祉課が発表した資料によると、65歳以上の人口が占める割合は全体の23・12％となっており、概ね４人に１人が高齢者という状況になっている。全国平均の29％、埼玉県平均の26・５％と比較すると低い比率ではあるが、21％を超えると〝超高齢化社会〟と言われている現状を考えれば、行政としてなんらかの手を打たなければいけない段階に来ているのは事実である。

さいたま市は東京のベッドタウンとして発展してきた歴史的な背景もあり、団塊の世代の人口が多く、他の都市に比べて高齢化が急速に進んでいる。２０２１年に発表されたさ

図表21　さいたま市の年齢4区分別人口の見通し

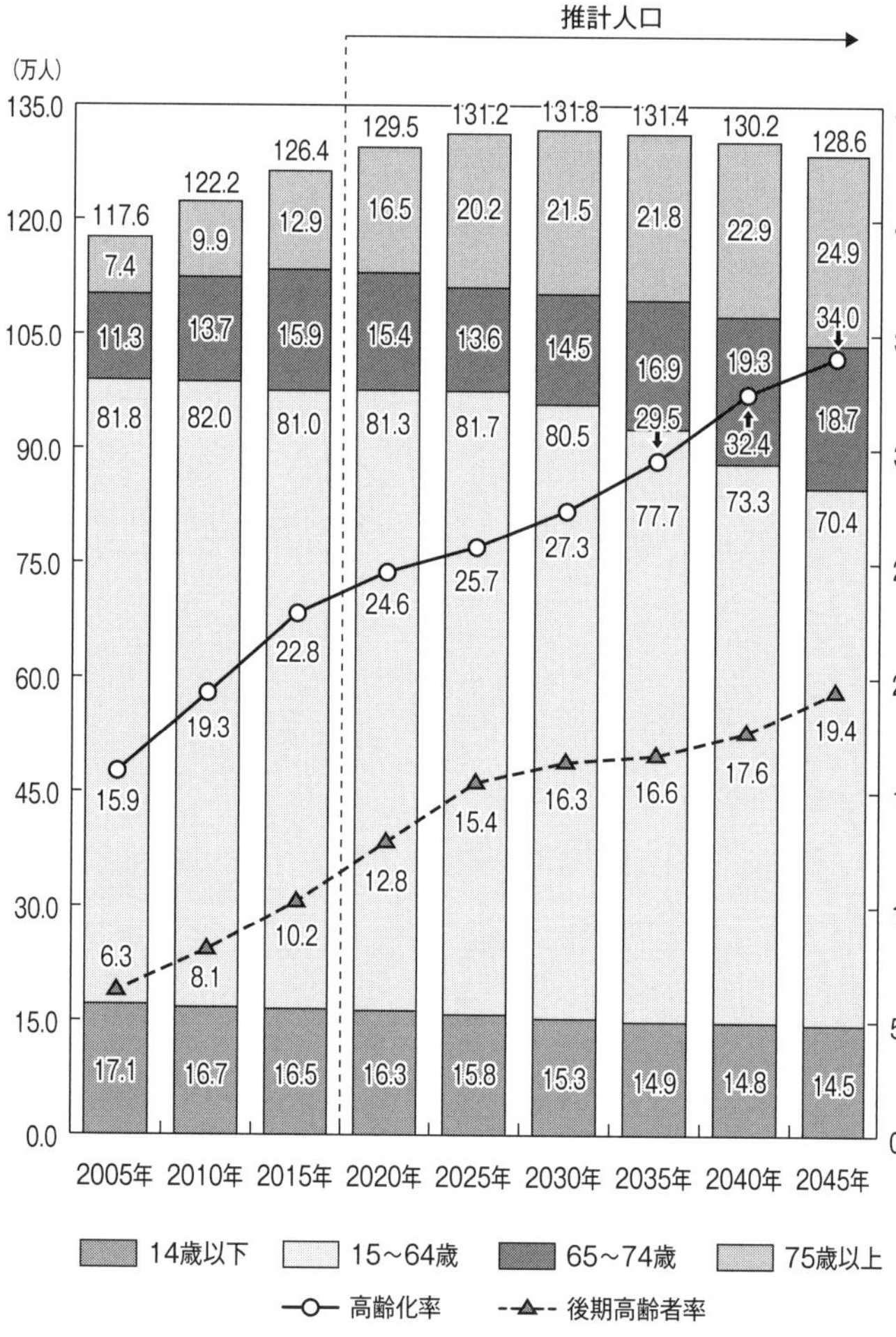

出所：「さいたまいきいき長寿応援プラン2023」より

いたま市総合振興計画のリーフレットによると、65歳以上の人口は２０３０年に27・３％、２０４５年には34％を超えると言われており、この時期になると、要支援、要介護認定を受ける75歳以上の人口は急激に増えることが予想される。介護や医療、福祉の予算が急激に増加し、一方で若い納税者が減っていく流れになれば、市の財政は圧迫されていくことになる。

その流れを食い止めるためには、「健康で長生きできる高齢者を増やす」という施策が、最も効果的な財政の強化策になる。マラソンやウォーキングの大会に参加するために、シニア層が日々の健康と運動を心がけるようになれば、病院や薬に頼らない身体をつくることができる。また、自転車競技やサッカーの試合を観戦することは、気持ちを明るくさせてくれるだけでなく、人とのコミュニケーションの場を生み、精神的なストレスの発散につながる。

さいたま市のスポーツイベントへの取り組みは、予算の問題や必要性が問われることが度々ある。しかし、将来的に市の歳出を抑える施策と考えれば、理にかなった政策といえる。たとえば、見沼田んぼを歩くウォーキングイベント「さいたマーチ」は、コロナ前の２０１８年は２日間で８６５９人参加したが、そのうち60歳以上の人が約半数を占めている。この割合は年を追うごとに増えていく可能性が高く、その人たちが「来年もさいたマーチを歩きたい」と思い、日々ウォーキングに勤《いそ》しむようになれば、健康長寿やコミュニティの醸成、シティセールス等、目に見える経済効果以上の成果を将来的に生むことになる。

千葉市の「レッドブル・エアレース」はなぜ4年で幕を閉じたのか

さいたま市のスポーツの取り組みから学ぶことは、ビジネスにおいての「継続」の重要性である。先述したように、さいたま市はサッカーの国際試合「さいたまシティカップ」という大きな国際スポーツイベントの開催を続けてきたことで、「ツール・ド・フランスさいたまクリテリウム」や「さいたまマラソン」などの大掛かりなイベントにも十分対応できる地力をつけることができた。積み重ねてきた経験やデータ、スタッフの自信は、より大きなことにチャレンジするための足掛かりになる。今のさいたま市のスポーツ都市としてのポジションは、「継続」によって築き上げてきた都市の実力といえる。

継続力の重要性はビジネスでも同じことがいえる。たとえば、初めてお客を集める販促イベントを開催して、思うように集客できなかった場合、多くの企業が「これはダメな販促イベントだった」と、1回だけの開催でやめてしまう。チャレンジしたことをすぐに止めてしまうと、そこに積み重なる経験やデータが集まらないために、次のステップにつながる施策にはならなくなってしまう。

実際、ツール・ド・フランスさいたまクリテリウムも、2013年の第1回の大会は、開催まで時間不足で1億5000万円の赤字を出し、イベント当日は大雨にも見舞われて散々な結果となった。しかし、2014年にはその失敗を糧にして、スポンサーの獲得や物販の強化によって収支を改善。今では8回も続くさいたま市の顔と呼べるほどのスポーツイベントへと成長した。

このように、企業が新しく取り組む販促イベントや新商品は、認知されて、理解してもらい、人が参加したり、手に取ってもらったりするのに、非常に時間がかかるものなのである。顧客満足度を上げるために改善を繰り返す必要もあり、新しい取り組みになればなるほど、結果を出すのに時間を要することになる。

そこを忍耐強く我慢し、諦めずに改善を繰り返していくことで、貴重な経験とデータが溜《た》まり、スタッフが自信を持って仕事を続ける環境が整っていく。そうなれば、さらに上のステージに駆け上がることができるようになり、よりレベルの高い販促企画や新商品を展開することができるようになる。

物事に挑戦するだけで終わらせず、その挑戦したことを「継続」しなければ、本当の実力としてビジネススキルを身に付けることはできない。さいたま市のスポーツイベントの取り組みから学べるビジネスのヒントは大きいといえる。

そのような視点で考えると、新しく挑戦することは、「どうやって挑戦するか？」よりも「どうやって継続できるか？」のほうが、圧倒的に重要であることが分かる。目先の派手さにとらわれず、５年後、10年後の長期的視野に立って物事を見極める力を持っていなければ、いつまで経っても中途半端な施策を繰り返すことになる。

ここでひとつ、興味深い事例を紹介したい。飛行機を用いて飛行技術や機体性能を競い合うモータースポーツ「レッドブル・エアレース」が、２０１５年に千葉市美浜区の幕張海浜公園で開催された。〝空のＦ１〟と言われるほどの派手なスポーツイベントで、千葉県民の私は「こんな凄いイベントが千葉で開催されるなんて！」とえらく興奮したのを覚えている。

10万人規模の観客動員に成功し、政令指定都市主催のイベントとして大盛況となった。

しかし、開催して4年目でレッドブル・エアレースはイベントの採算が取れないという理由で、大会そのものが消滅してしまった。

せっかく4年も続けたイベントなのだから、千葉市が主催で継続して開催すればいいのではないかと思ったが、どうやら事情は複雑なようである。レッドブル・エアレースの開催までの経緯は、前千葉市長の熊谷俊人氏の著書『千の葉をつなぐ幹となれ』に詳しく書かれている。

「日本に実行委員会が立ち上がりスポンサーをつのることで、開催都市が持つコストとリスクを実行委員会が負担する形で交渉が成立。千葉市は負担ゼロで、日本で最初のレッドブル・エアレースを誘致することに成功しました」

つまり、千葉市はイベントをノーリスクで開催できた半面、開催するか否かの主導権を握ることはできなかったのである。リスクを持つ人が「やめる」といえば、リスクを持たない人はそれに従うしかない。もし、このイベントに自治体側が予算を組み、リスクを取ってイベントを開催していれば、また違った形でエアレースは継続されていたかもしれない。

リスクを背負い、継続してイベントを育ててきたさいたま市の「ツール・ド・フランスさいたまクリテリウム」と、4年で終わってしまった千葉市の「レッドブル・エアレース」を比べると、改めてイベントの継続の難しさについて考えさせられてしまう。

第7章

さいたま市に死角はないのか？
～成長する政令指定都市の弱点を探る

交通利便性の高さと人材採用の強さが支えるさいたま市の経済

どんなに業績が好調な企業でも、必ず「弱点」を抱えている。ヒット商品がなかなか出なかったり、スタッフのモラルが低下していたり、弱点がない企業など世の中に存在していない。優れたビジネスモデルでも、必ずウィークポイントはあり、その小さな〝穴〟が次第に大きく広がり、やがて会社経営を揺るがす大問題へと発展するのは、中小企業ではお決まりのパターンと言ってもいい。

これまでさいたま市が人気都市として成長してきた要因について述べてきたが、企業と同じように、自治体にも「弱点」があると考えている。

交通の利便性を生かして人口を増やし、豊かな財政をもとに教育と子育ての政策に力を入れ、大掛かりなスポーツイベントで市民の結束力と愛着心を高める戦略は、全国の市町村から見ても輝かしい街づくりの手本といえる。

しかし、そのような〝陽〟の部分が表面化すればするほど、〝陰〟の部分は見えづらくなる。そこの部分までしっかり掘り下げていかなければ、さいたま市の真の姿を見出すことはできない。

この章では、さいたま市の〝死角〟にフォーカスして、現時点での3つの弱点について考察していきたいと思う。

1つ目のウィークポイントとして注目したのは、経済施策である。さいたま市内の経営者にヒアリングしたところ、「経済支援策は乏しい」という意見は少なくなかった。

「スタートアップの企業が育つ街ではないですね。市の担当者ベースでは動いていますが、予算が大きく振り分けられている実感はありません。市全体でビジネスを支援する意識は高くないと思います」（さいたま市の経営者）

しかし、不満は出てくるものの、そこまで深刻な問題にはなっていないのが実情である。むしろ、「さいたま市に経済支援策は不要だ」と言い切る経営者もいるぐらいである。

極論をいえば、さいたま市は人口が増加し、消費者が増え続けているので、どんなビジネスでも、ある程度は成立してしまうところがある。東京も近いので様々なビジネスが展開しやすく、「お金儲けで困る」という認識そのものが、他の街よりも乏しいのかもしれない。

はたしてさいたま市は経済政策に力を入れているのか。

「さいたま市は政令指定都市の中でもGDP（国内総生産）は11位、真ん中ぐらいに位置しているんです。上位に人口規模の大きい旧五大都市があることを考えると、健闘している部類に入ると思います」

そう話すのは、経済局副参事の千枝《ちえだ》直人さん。さいたま市は海に面しておらず、港湾がないので千葉市や横浜市、北九州市に比べて巨大な工業地帯を有していない。また、福岡市のように国際的な空港もなく、諸外国との輸入事業も発展しにくいので、企業を誘致しにくい立地条件である。その一方で、京都市のようにインバウンド需要が見込める観光都市でもなく、大阪市や名古屋市のような経済都市でもない。

誰もが認めるように、さいたま市は住宅の街であり、企業の街ではない。首都圏に近いこともあり土地代や家賃も高く、倉庫や工場を誘致しても、他の地方都市よりも採算が取りにくい。そのような弱点ばかりに目をやると、「さいたま市は経済に弱い街」という印象を強く持ってしまう。しかし、20ある政令指定都市の中で、GDPでは真ん中に位置しているというデータを突き付けられると、その意外性に驚いてしまう。

千枝さんに、さいたま市の経済政策の強みを聞いてみた。

「最大のメリットは、交通利便性の高さと人材の雇用や採用に強い点です。首都圏から離

図表22　政令指定都市の2018年度の市内総生産（GDP）

	都市名	市内総生産（百万円）		都市名	市内総生産（百万円）
1	大阪市	21,419,185	11	さいたま市	4,542,267
2	横浜市	14,475,697	12	千葉市	4,160,093
3	名古屋市	14,187,450	13	北九州市	3,832,725
4	福岡市	7,827,624	14	静岡市	3,347,266
5	札幌市	7,541,046	15	堺市	3,297,766
6	神戸市	7,081,833	16	新潟市	3,292,082
7	京都市	6,592,014	17	浜松市	3,219,492
8	川崎市	6,495,762	18	岡山市	2,989,434
9	広島市	5,534,863	19	熊本市	2,620,023
10	仙台市	5,339,889		相模原市	－

※著者が各政令指定都市のホームページより算出。なお、相模原市は公開していない。

れたところに本社や支社、工場や倉庫を構えても、人をそこで雇えなかったら意味がありません。さいたま市は『通勤しやすい』という立地的な強みがあるため、最近は本社や研究機関が移転してくるケースが増えているんです」

　都心から離れた地方の都市に移転してしまうと、場合によっては離職してしまう人が出てきてしまう。しかし、さいたま市内であれば、住環境はよく、東京へも30分圏内で出られるので、仮に会社が移転したとしても、留《とど》まる人は多いと思われる。

　また、最近の物流倉庫では荷物を出荷するだけではなく、部品を集めて加工して出荷するアッセンブリー型のスタイルが増えてい

経済局副参事 千枝直人さん

る。ただ闇雲《やみくも》に「人を集める」のではなく、仕事の技術的な能力の高い人材が現場で求められている現状を考えれば、人口増が続くさいたま市は、首都圏近郊の都市の中でも有利なポジションにあるといえそうである。

「大宮駅周辺のオフィスの空室率も1～2%をずっとキープしており、新しいビルが建ってわずかに上昇する程度です。コロナの影響でもう少し空室率が上昇すると思っていたんですが、駅前のオフィスビルから撤退する企業はほとんどありませんでした」(千枝さん)

さいたま市の交通の便の良さも企業誘致の利点となっている。東北新幹線、上越新

図表23　新たな産業集積拠点の候補地区

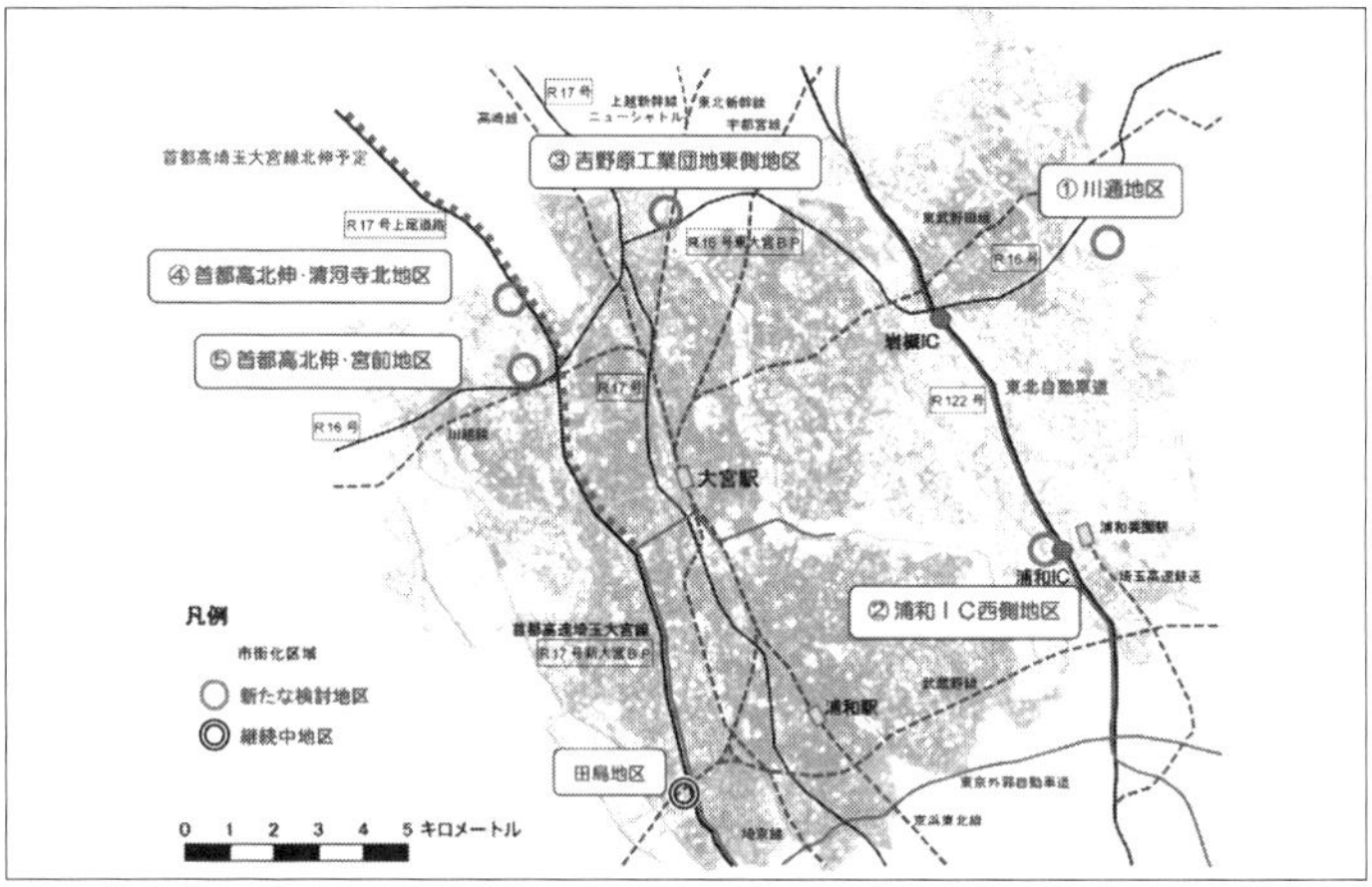

出所:「新たな産業集積拠点の候補地区の検討について」(さいたま市)
2018年にさいたま市の都市経営戦略会議資料で公開された産業集積拠点創出候補地区の位置図。交通の便の良い高速道路のインターチェンジや国道付近に新たな産業集積拠点の整備が計画されている。

幹線、北陸新幹線等が大宮駅に停車するため、東日本の拠点として、支店を構える企業も多い。また、首都高速、東北道の高速道路が市内を通っており、物流拠点としても優れている一面もある。

２０２１年度のさいたま市の決算カードによると、法人市民税の歳入は約１８７億円で、全歳入の６・８％を占める。一方、同じ政令指定都市の千葉市は約１０３億円で、全歳入の５・２％しか占めていない。港湾もあり、東京からの距離もさほど変わらない千葉市の法人市民税の歳入が、さいたま市よりも少ないというのは、千葉市の先が房総半島で行き止まりになっている点が大きいといえる。

さいたま市の先には東北地方、北陸地方が広がっており、なおかつ新幹線という鉄道最強の交通手段を持つことは、強い経済力を発揮する大きな要因になっている。

「２００６年には企業誘致専門の組織の産業展開推進課を設置して、積極的に企業誘致を行っています。毎月、金融機関や不動産業者等と情報交換を行うなど、連携を取って企業に対してのアプローチをしています」（千枝さん）

さいたま市は、この企業誘致をきっかけに、特にものづくり企業支援に積極的に取り組んできた。

「先進的な技術を持つ企業を、２００８年から『リーディングエッジ企業』として承認し、他の企業とは差別化をして特別な支援を行っています。優れた企業のさらなる発展に力を入れることで、市内経済を活性化させ、さいたま市のブランド力の向上につなげています」（千枝さん）

さいたま市は海外の企業との連携にも力を入れる。先述したリーディングエッジ企業を中心に、２０１１年からドイツのバイエルン州との技術交流や、同じくニュルンベルク市との連携協定を展開し、姉妹都市であるアメリカのピッツバーグ市との企業交流や取引支援も積極的に行っている。

一方、身近なところでは、近年ではコロナの影響を受けた飲食店やサービス業に対して、ＤＸ（デジタルトランスフォーメーション）支援や取引支援を重点的に行うなど、業種業態や事業の大きさを問わず、様々な経済支援に力を入れている。

ホテル誘致やスタートアップ企業への支援だけでなく、農業にも力を入れる

最近、注力しているのは宿泊施設の誘致である。さいたま市には多くのコンベンションセンターがあり、学会やイベントなどが毎年開催されている。しかし、宿泊施設の少なさから、市内で催し物が開催されると、上野駅のホテルまでが満室になるほど、さいたま市の宿泊施設の少なさは問題になっていた。今後、インバウンドによる海外からの観光客の増加を考えると、宿泊施設の増加への取り組みは急務といえる。

「２０１６年のさいたま市のホテルの部屋数は２５００室を切る状態でしたが、ホテル事業者への誘致活動や宿泊施設への規制緩和を行うなど、２０２３年度中には倍の４５００室になる予定です。さいたま市のコンベンションセンターで会議を開くと補助金を出す制度も充実させ、学会などの誘致にも力を入れています。インバウンドに関しても、コロナ

前には中国や台湾などの旅行会社に対して、さいたま市へ宿泊するツアーの造成を直接働きかけるなど、積極的に行ってきました。アフターコロナで訪日客が戻り始めているので、これから再スタートで取り組んでいきます」（千枝さん）

ビジネスや観光など、さいたま市に宿泊する目的で下車する大宮駅になれば、市内の飲食店やサービス業は、今以上の盛り上がりを見せることになる。

この章の冒頭で述べた、スタートアップ企業に対しての支援は行き届いているのか。その点について、千枝さんは興味深い資料を見せてくれた。

総務省と経済産業省が出した政令指定都市及び特別区部における開業率の割合を見ると、さいたま市は20都市中5位につけている。しかも、その数は年々上昇傾向にある。

このデータからも分かる通り、さいたま市で開業する人は意外にも多く、決してスタートアップの企業に対して支援が乏しいわけではなさそうである。

「2004年に設立した中小企業支援センター『さいたま市産業創造財団』では、開業までの支援はもちろんのこと、開業後の状況に応じた支援を行うなど、これまでの様々な取り組みが開業率アップにつながっていると思います。また、データはありませんが、さいたま市は東京に近い立地ということもあって、自宅をそのまま事務所にして起業されてい

図表24　政令指定都市及び特別区部における開業率の順位の変遷（非農林漁業）

rank	2007~2009年		2009~2012年		2012~2014年		2014~2016年	
1	福岡市	3.9%	仙台市	2.8%	福岡市	10.0%	福岡市	7.3%
2	札幌市	3.6%	神戸市	2.8%	仙台市	9.7%	仙台市	6.9%
3	仙台市	3.4%	福岡市	2.7%	特別区部	8.6%	特別区部	6.3%
4	横浜市	3.3%	札幌市	2.5%	神戸市	8.5%	札幌市	6.0%
5	神戸市	3.2%	名古屋市	2.4%	千葉市	8.1%	さいたま市	6.0%
6	堺市	3.2%	熊本市	2.3%	さいたま市	8.1%	千葉市	5.9%
7	広島市	3.2%	横浜市	2.3%	横浜市	8.0%	横浜市	5.9%
8	熊本市	3.2%	さいたま市	2.2%	名古屋市	7.9%	神戸市	5.9%
9	北九州市	3.0%	相模原市	2.2%	札幌市	7.9%	広島市	5.7%
10	名古屋市	2.9%	広島市	2.2%	熊本市	7.8%	大阪市	5.5%
11	大阪市	2.9%	千葉市	2.1%	広島市	7.8%	名古屋市	5.5%
12	浜松市	2.9%	川崎市	2.1%	大阪市	7.5%	川崎市	5.5%
13	新潟市	2.8%	大阪市	2.0%	川崎市	7.5%	岡山市	5.4%
14	岡山市	2.8%	特別区部	2.0%	岡山市	6.9%	新潟市	5.0%
15	川崎市	2.8%	堺市	1.9%	堺市	6.9%	堺市	5.0%
16	相模原市	2.7%	岡山市	1.9%	浜松市	6.7%	北九州市	4.9%
17	さいたま市	2.7%	北九州市	1.9%	相模原市	6.6%	浜松市	4.8%
18	京都市	2.6%	静岡市	1.8%	新潟市	6.5%	熊本市	4.8%
19	千葉市	2.5%	浜松市	1.8%	北九州市	6.3%	相模原市	4.7%
20	静岡市	2.5%	京都市	1.8%	京都市	6.2%	静岡市	4.6%
21	特別区部	2.3%	新潟市	1.7%	静岡市	6.1%	京都市	4.2%

出所:「2021年 さいたま市産業振興ビジョン」
原資料:総務省・経済産業省「経済センサス」より作成

広い農地と人口増に恵まれ、市内で就農する人は思いのほか多い

る人が多いことも一因になっているのではないでしょうか」（千枝さん）
　また先述したように、コロナ後の飲食店やサービス業に対しての積極的なＤＸの支援も展開しており、「さいたま市ＤＸ推進補助金」を通じて、小規模ビジネスに対してのバックアップを行っている。電子商取引や顧客管理ツール、チャットボットツールなどを活用してもらうことで、業績アップと人材不足の両面のフォローに力を入れ、商工会議所とも連携を取りながらＤＸを推進している。
　最後に、少し意地悪な質問で「農業に力は入れていますか？」と聞いてみた。さすがに土地が高く、東京への通勤圏で農業を始める人はいないと思ったからだ。

「さいたま市には見沼地区や荒川周辺にまだまだ農地があり、実は新規の就農者が増えているんです。農業は販路があってこそ成り立つビジネスなので、大消費地でもあるさいたま市は作った野菜を売りやすいということで、さいたま市で農業を始めたいと思っている人は多くいらっしゃいます。市では農業技術支援はもちろんのこと、直売会での販売や市主催の商談会への参加など、販売支援にも力を入れて、新規就農者をバックアップしています。また、農家と飲食店を結びながらヨーロッパ野菜を生産する若手の就農者を支援していています。農業をやりたくてさいたま市に移住したい方がいらっしゃれば、大歓迎で受け入れさせていただきますよ」（千枝さん）

さいたま市の畑で野菜を育て、生活する――想像もしていなかったライフスタイルである。人口が増えることは、教育や経済の活性化だけでなく、農業にもプラスに働いている。さいたま市が農業算出額でも、県内で４番目（２０２１年）の都市であることにも納得がいく。

ネットを活用した取り組みにはまだまだ伸びしろがある

さいたま市は大きなビジネスのプロジェクトは得意としているものの、小さなビジネスに対しては、若干、支援を苦手としているのではないかという印象を受けてしまう。

たとえば、大宮駅前に2019年にオープンした「まるまるひがしにほん」。新幹線でつながる東日本の都市との交流人口の増加、互いの地域経済の活性化を目的とした「東日本連携」事業におけるさいたま市肝いりの施設である。

東日本の各都市の物販などによるシティプロモーションや、ものづくり企業や飲食業などの商談会が行われているほか、コワーキングスペースとしても利用されている。来館者は年間90万人以上にのぼるなど、大きな賑わいを見せている。

東日本各地の日本酒を、サーバーを使って1杯100円で提供するアイデアは秀逸だったが、飲食スペースの見せ方と販売されている商品の陳列方法は、もう少し工夫を凝らせば、もっと良い売り場になると惜しい気持ちになってしまった。グーグルビジネスプロフィールやSNS、動画の活用にも改善の余地がり、ネット販促に力を入れれば、まだまだ集客力は高められそうである。

このあたりの「あともう少し」の改善は、さいたま市の子育て情報が掲載されている「さいたま子育てＷｅｂ」でも同じ思いがした。スマホサイトのユーザビリティを改善し、動画やＳＮＳによる情報発信に力を入れれば、子育て世代の親に、さらに有益な情報を届けることができそうである。

この厳しい評価は、私自身が主に中小企業を支援していて、Ｗｅｂマーケティングを主体として活動しているからこそ、必要以上に気になってしまった点でもある。経済効果も高くはない改善策でもあるので、さいたま市全体の問題から見れば、非常に些細な課題ともいえる。

しかし、これらの小さな改善策とネットツールの活用を強化すれば、さらに子育て世代に向けた情報発信や、ネットを活用したスポーツイベントの集客など、大きなプロジェクトの販促戦略が大きく変わっていくのではないだろうか。そのような意味でいえば、完璧だと思われるさいたま市の経済施策も、まだまだ伸びしろがあるのではないかと思えてしまう。

まるまるひがしにほんの店内

まるまるひがしにほんの店内にある日本酒のサーバー

横浜市や川崎市よりも多いさいたま市の刑法犯認知件数

２０２2年度のさいたま市民意識調査（概要版）によると、市民が希望する「今後、力を入れてほしい施策や事業」は、「公共交通・道路」「高齢者福祉」に次いで「事故・防犯」が43・３％を占めて、３位となっている。

住みやすい街や幸福度ランキングで上位に位置するさいたま市で、事故や防犯に不安を抱えている人が多いことは意外だった。実際に治安が良い街かどうかを調べるために、他のデータでもさいたま市を検証することにした。

２０２１年の大都市統計協議会の大都市比較統計年表によると、警察が発生を認知した事件の数を示す「刑法犯認知件数」は、さいたま市は人口１０００人当たり５・１件と、政令指定都市20都市中9位、真ん中よりも〝やや悪い〟という位置付けだった。

断トツで刑法犯認知件数が多いのが大阪市の11・２件、次いで名古屋市の7件と、犯罪が大都市に集中していることがこの数字からも見て取れる。一方、治安の良さ1位の都市は横浜市（人口３７７万人）で３・５件、２位は熊本市と同数の川崎市（人口１５４万人）

図表25　今後、力を入れてほしい施策や事業（上位10項目）

「公共交通・道路」が47.4%

今後、力を入れてほしい施策や事業を聞いたところ、「公共交通・道路」が47.4%で最も高く、「高齢者福祉」（47.2%）、「事故・防犯」（43.3%）が続いた。

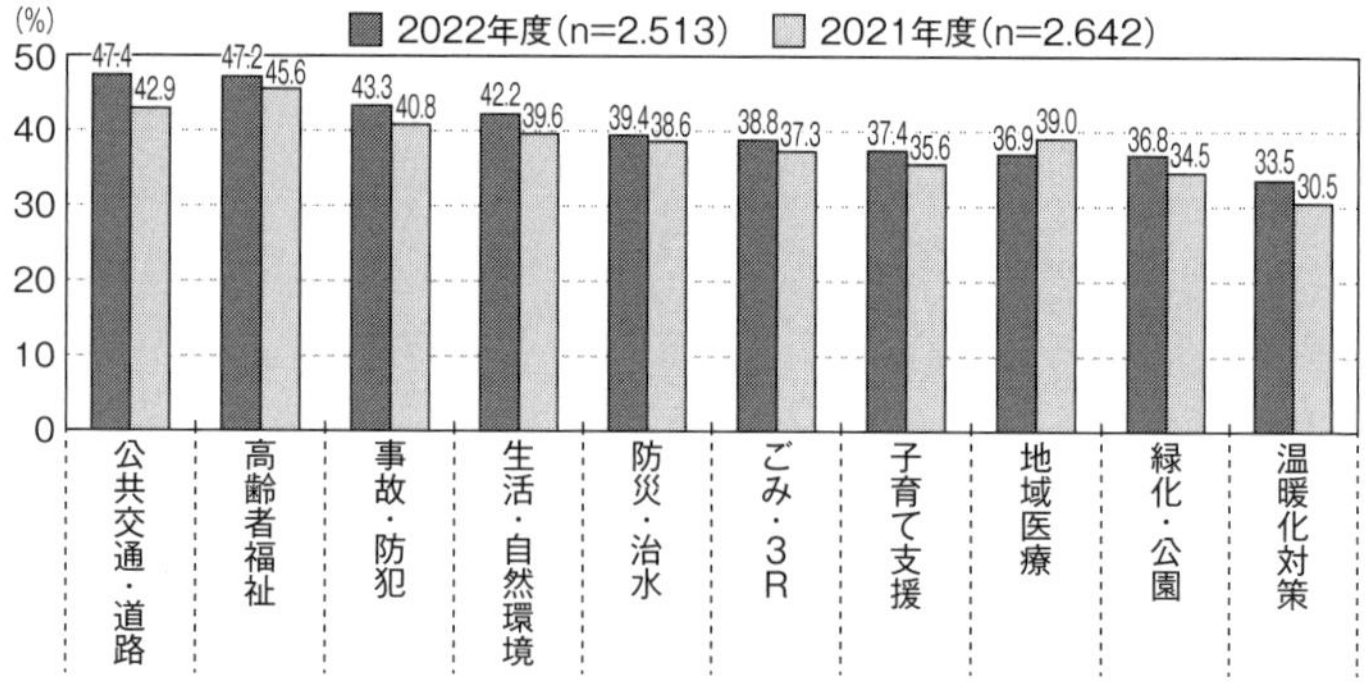

出所：2022年度のさいたま市民意識調査。「公共交通・道路」が47.4%でトップで、次いで「高齢者福祉」47.2%、3位に「事故・防犯」が並ぶ。

で3・7件。この2つの市はさいたま市よりも人口が多いにもかかわらず、治安が良いことが分かる。

特に川崎市は「ガラが悪い」という印象を持つ人が多かったようで、刑法犯認知件数の少なさが注目を集め、一時期、ネットニュースで「日本トップクラスの低犯罪都市」として話題にもなった。

刑法犯認知件数は年々減少傾向にある。2004年の3万4613件をピークに、2021年は6827件と、5分の1まで減少している。コロナの影響で外出が自粛されたことが主な影響として考えられるが、実質、世の中の犯罪の数は減ってきている。

なぜ、治安は年々良くなっているのか。2

図表26　刑法犯認知件数（人口千人当たり）

データ元：大都市比較統計年表（2021年版）

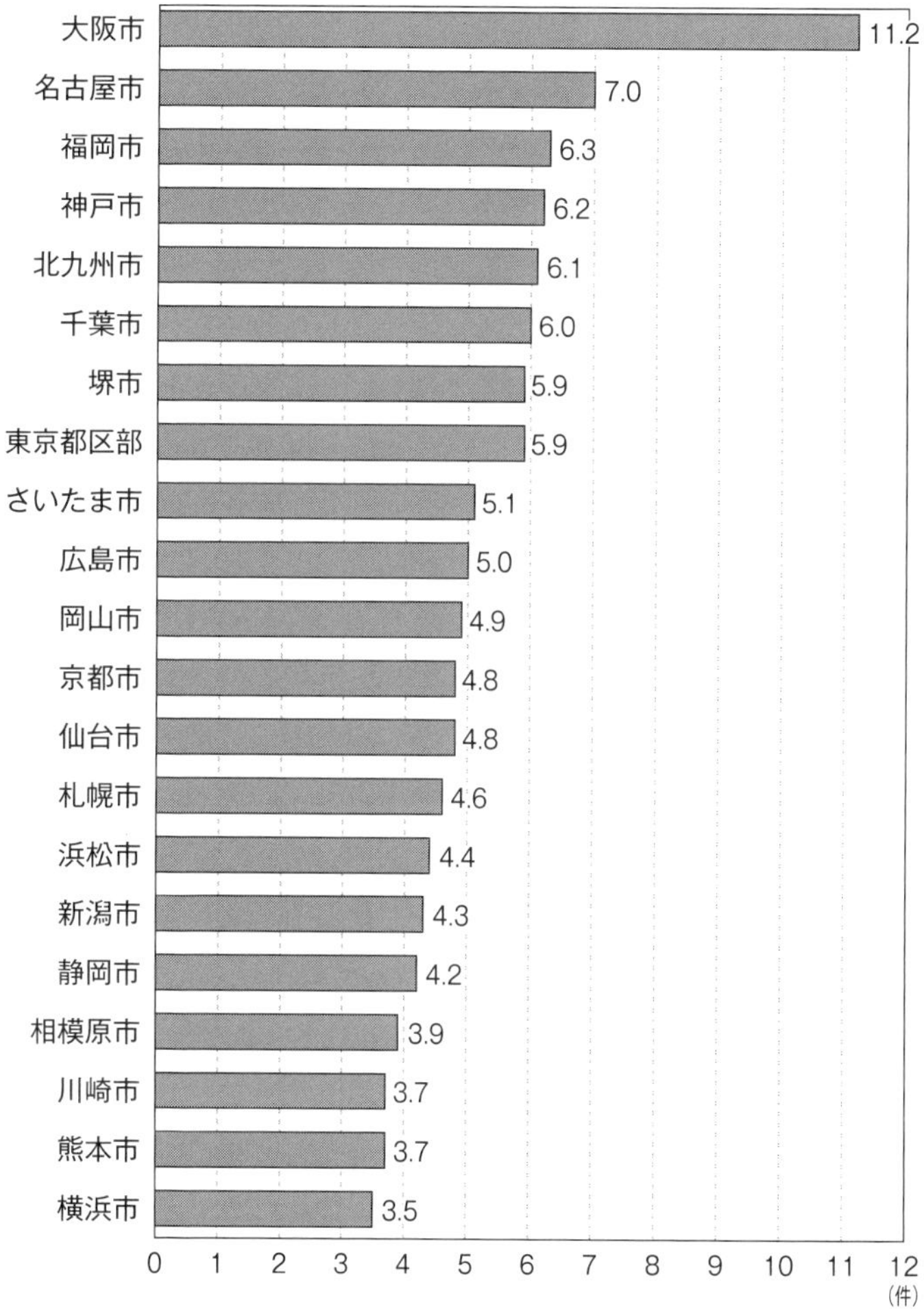

出所：大都市比較統計年表をもとに神戸市が制作したグラフを使用

018年の『警察白書』によると、下記の3点が理由として挙げられている。

1. 少子高齢化によって、人口1万人当たりの検挙人員が相対的に多い若者の人口が、継続的に減少しているから。
2. 若者の規範意識が高まっているから。
3. 現在の生活に満足して「とても幸せだ」と思っている人が増加し、社会や家庭に不満を持っている人が減少しているから。

この3つの外的要因には納得するところがある。少子高齢化で人口が減り、若者の社会に対する意識が高まり、生活の質の向上によって、犯罪件数が減るトレンドは、時代の変化における必然的な流れといえる。

しかし、3番目の「とても幸せだ」と思っている人が増加しているのであれば、幸福度ランキングで上位のさいたま市は、もう少し刑法犯認知件数が下がってもいいように思われる。なぜ、さいたま市の幸福度は、犯罪件数の減少と比例しないのか。

思いのほかハードルが高い防犯カメラの設置

「防犯対策に関しては、市と警察にはそれぞれの役割があるんです」

そう話すのは市民局市民生活部・市民生活安全課長の河野秀和さん。警察は防犯対策も行うが、犯罪を取り締まることが主な仕事であるのに対し、市の役割は防犯対策の見回りによって、犯罪を未然に防ぐことが活動の中心になる。

「２００９年4月から『さいたま市防犯のまちづくり推進計画』をスタートさせて、５年ごとに見直しながら、時代に合った防犯対策を行っています。しかし、防犯のまちづくりは、市だけで取り組むのではなく、市と市民や事業者の皆様、警察や防犯活動を行う団体等が、『自分たちの地域は自分たちで守る』という防犯意識のもとに、それぞれの役割を果たしつつ、協働して進めていくことが重要です」（河野さん）

そもそも治安の良し悪しは、警察の仕事の管轄といえるところがある。防犯対策まで自治体に押し付けてしまうのは、少々酷な話ではある。

現在、さいたま市は各地区の自主防犯活動団体に対して助成金を出して、地域における

市民局市民生活部・市民生活安全課長 河野秀和さん

防犯活動の支援を行っている。「町内の見回り程度で、治安が良くなるのか」と思われる人もいるかもしれないが、地域の見回りを強化すれば、お互いで顔を覚える機会が増え、不審者の侵入には気づきやすくなる。まめに防犯パトロールが回っている地域ということが多くの人に認知されれば、犯罪者も迂闊《うかつ》にその地区には近寄らなくなり、治安の向上にはつながっていく。

「自主防犯パトロールのグループは大幅に増えましたが、地域によっては、活動そのものが負担になっているところがあるのも事実です。防犯ボランティアの見回りを強化するためには、自主防犯活動団体のモチベーションのアップが課題になっています」（河野さん）

１３０万人を超える規模の政令指定都市になると、自主防犯活動団体の多くがその構成母体としている「自治会」の管理運営も難しくなる。若い住民が移住してきても、その街に対してすぐに愛着が湧くわけではないので、自治会の活動に積極的に参加するとは限らない。子育てや教育には自分ごとのように興味を持つ夫婦でも、直接的に関係が乏しい防犯パトロールに関しては、協力的にならないのは致し方ないといえる。

そうなると、防犯パトロールは昔からその地区に住む高齢者が中心に行うことになる。しかし、体力的な理由で活動が難しくなれば、防犯ボランティアの数は減り、その数が減少していけば、当然、地区の治安は乱れていく流れになってしまう。

人の手を借りずに常時防犯対策を行うのであれば、街の中に防犯カメラを設置するのが効果的といえる。

東京都では２０１４年に全公立小学校１３００校の通学路に６５００台の防犯カメラを設置。５年間で24億７０００万円を投じて、街の治安の向上に力を入れた。また、大阪市も２０１６年から２０１８年にかけて、子どもが多く利用する施設周辺や通学路等を中心に、３年かけて１０００台の防犯カメラを設置。犯罪に巻き込まれやすい子どもたちの居場所に、自治体が防犯カメラを設置するのはトレンドになりつつある。

図表27　公共の場所に防犯カメラが設置されることについてどう思うか（経年比較）

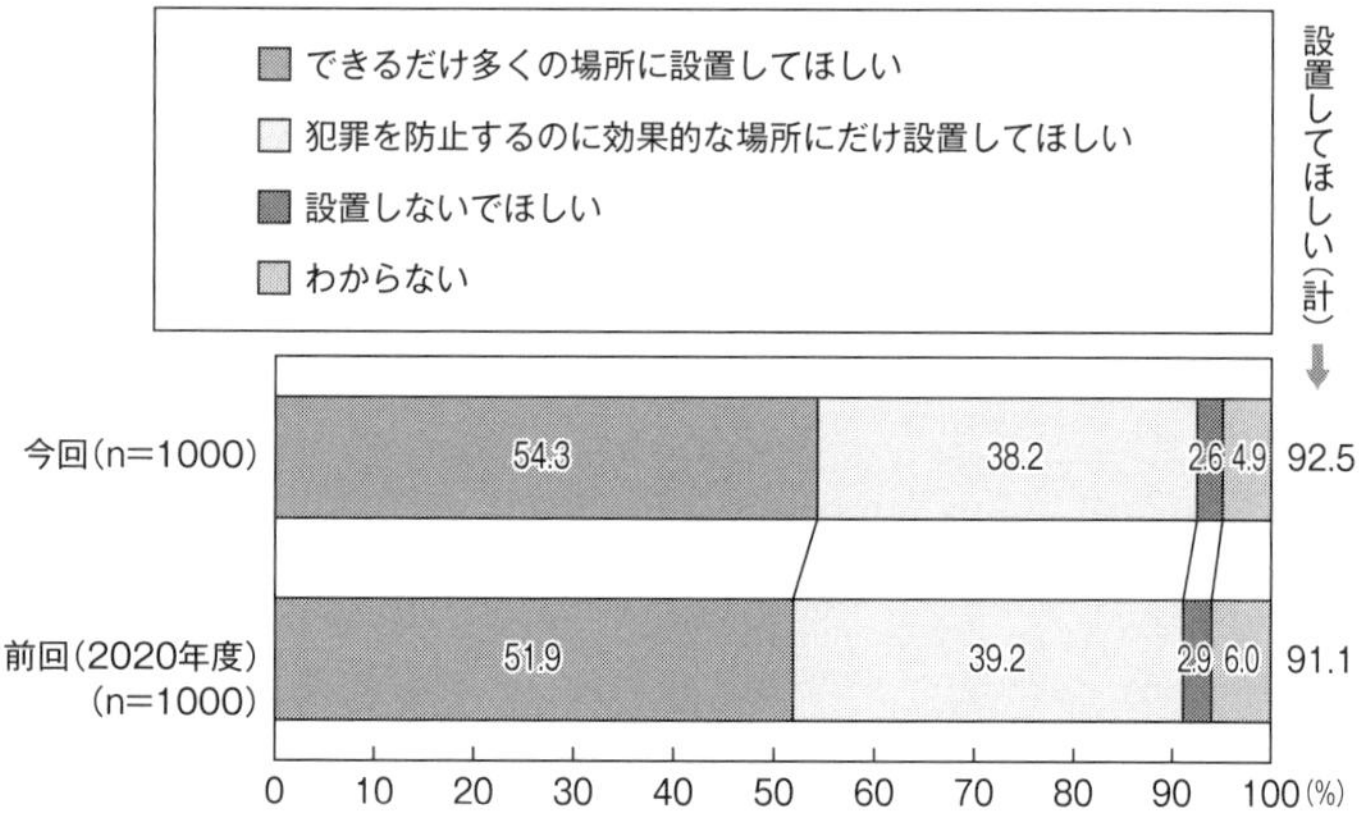

出所：2022年度のさいたま市インターネット市民意識調査より。公共の場所への防犯カメラの設置は多くの人が望んでいる。

さいたま市でも、防犯カメラを設置してほしいという要望は多い。2022年度のさいたま市インターネット市民意識調査によると、「公共の場に防犯カメラが設置されることについてどう思うか」の問いに対して、「できるだけ多くの場所に設置してほしい」（54・3%）、「犯罪を防止するのに効果的な場所だけに設置してほしい」（38・2%）と、合計92・5%の人が防犯カメラの設置を望んでいる。

防犯カメラの設置に関しては、さいたま市議の一人は「むしろ市の防犯カメラの設置の取り組みは遅い」と厳しく指摘する。

「大宮駅周辺の繁華街は治安があまり良くないので、防犯カメラを設置してほしいという要望は常に上がっています。その声に押されてようやく駅周辺に防犯カメラが設置されるようになりましたが、まだまだ数は少ないと思います。ダミーの防犯カメラでもいいので、早急につけたほうがいいと思いますが、やはり市としては防犯パトロールを中心にする防犯対策に重きを置いているところがあり、防犯カメラの設置には消極的なところがあります」

一方、元さいたま市議は「この街で防犯カメラを設置するのは難しい」と顔をしかめる。

「浦和区を中心にプライバシーに対して意識の高い市民は多い。商業が中心の大阪市や東京都のような思い切った防犯カメラの設置は、反対意見が多く出る可能性がある」

どうやら防犯カメラの設置には、地域差があるようだ。では実際のところ、さいたま市の防犯カメラへの取り組みはどのような状況になっているのか。

「さいたま市が管理する、主に犯罪防止を目的として設置し、なおかつ不特定多数の人が自由に利用できる施設などに設置されている防犯カメラの数は、約２３００台あります。これが他の政令指定都市と比べて多いか少ないかは、統計的な数字が出ていないので判断が難しいですが、決して少ない数ではないと思います」（河野さん）

現状、街頭に防犯カメラを急激に増やしていくには難しい事情もある。
「私有地に防犯カメラを設置するためには、所有者等の同意が必要です。それ以外の場所でもプライバシーへの配慮が求められるので、慎重に設置を検討していかなければいけません。犯罪を未然に防ぐためには、防犯カメラの設置は必要不可欠であり、今後も市として積極的に取り組んでいきます」（河野さん）
防犯カメラの設置が犯罪の抑止力になるのは事実である。しかし、現実問題として考えると、市が膨大な数の防犯カメラを管理運営していくことは、思いのほか難しい。
実際、街中には個人所有や法人所有の防犯カメラが無数にあり、市がわざわざ防犯カメラを設置する意味があるのか、そのあたりも検証する必要がある。人口が多く、人の目が行き届きやすいさいたま市において、果たして防犯カメラの設置が犯罪防止にどれだけの効果を発揮するのか、冷静に考えると、この施策には疑問符が付くところが多々ある。

高齢者と子どもたちが〝顔見知りになる〟のが最強の防犯対策

防犯パトロールの代わりに、防犯カメラの設置が刑法犯認知件数の抑制につながると考えたが、それぞれに一長一短なところがあり、決定的な防犯の対策にはならないのが現状のようである。

この問題を解決するためには、いま一度、さいたま市の〝強み〟の原点に立ち返る必要がありそうである。

6月中旬、見沼区の大砂土東《おおさとひがし》小学校の「放課後チャレンジスクール」という市の取り組みを見学しに行った時のことである。

事前に市の職員から、放課後に子どもたちが地域の住民と一緒に、スポーツなどを通じて交流を深めているという話を聞いて、10～20人ぐらいの子どもたちが、地域の人と遊ぶ程度の集会を想像していた。

しかし、その日はグラウンドに数えきれないほどの子どもたちが集まっており、地域住民と楽しそうに校庭を走り回っていた。

「今日の登録者は179名です」

地域ボランティアの高齢の男性が、子どもたちと遊びながら答えてくれた。利用者は小学校2年生と3年生が多く、高学年になると習い事に通う子どもが増えるので参加人数は減っていくという。1～3年生は16時半になると親が迎えに来て、4～6年生は各自で帰

大砂土東小学校の放課後チャレンジスクールの様子

宅していく。
「広い校庭でのびのびと遊ぶのが基本です。放課後チャレンジをきっかけに、他のクラス、他の学年と一緒に遊ぶ機会が増えて、みんな顔見知りになっていくんです」（地域ボランティアの男性）
子どもたちを見守る地域ボランティアの人は総勢で20名。若い人も交《ま》じるが、比較的、高齢者が多い。一緒に遊ぶだけではなく、子どもが一人にならないように常に注意を払い、仮にそのような子どもがいれば、積極的に声をかけて遊びに誘う。
「地域のボランティアの人たちも、この放課後チャレンジを生きがいにしている人が多いんです」

そう話すのは、さいたま市教育委員会の生涯学習部の神田周愛《みちよし》さん。犯罪や災害において、最も命の危険にさらされるのは、いつの時代も力の弱い高齢者と子どもたちである。その人たちが放課後チャレンジを通じてお互いの顔を知ることは、地域の治安の向上につながっていく。

「あそこのおじいちゃん、一人暮らしだけど大丈夫かしら」

「あの子はいつも夜遅く一人で街を歩いているけど、何かあったのかな」

お互いのことを気に掛ける習慣は、昭和の時代には多かったが、人との交流が減った今、他人を意識しながら生活することのほうが少なくなっている。

お互いが顔見知りになる「放課後チャレンジスクール」は、昔ながらの人間関係を構築し、さいたま市らしい防犯対策の構築につながっていくのではないだろうか。少なくとも防犯カメラの設置と比べれば、さいたま市らしい防犯対策の取り組みといえそうである。

なお、ここで誤解がないよう加筆しておくが、さいたま市の人口千人当たりの刑法犯認知率の減少率は70・2％と、他の関東の政令指定都市と比べて、減少率はトップとなっている。全政令指定都市の中でも5番目に位置しており、人口の増加率が高い都市としては、防犯への取り組みが進んでいる街といえる。

このように刑法犯認知率の減少率が高い要因も、さいたま市が長い時間をかけて取り組んできた地域内での絆づくりが、功を奏しているといえそうである。

人材採用が企業や自治体の命運を分ける時代

最近、経営者から「売上を伸ばす最も効果的な戦略は何ですか？」と聞かれれば、迷わず「優秀な人材の採用」と答えるようにしている。優秀な人材を確保することができれば、売れる商品を開発してくれて、売れるマーケティング戦略も実践してくれる。商品やサービスがコモディティ化している今の時代、採用した人材の能力で差別化を図っていくしか、企業が勝ち残る方法はない。

問題は、その優秀な人材をどのように採用していくかである。仕事覚えが早く、行動力があり、自分で物事を考えて動けて、なおかつコミュニケーション能力が高い人材は、どの企業も喉から手が出るほど欲しい社員像である。しかし、少子化で若年層の人材の数には限りがあり、官民問わず、優秀な人材の争奪戦が繰り広げられているのが現状である。

人材不足のあおりを受けて、企業の採用に対する力の入れ具合も変わりつつある。営業や販売の優秀なマーケティングの担当者を、人事部の採用担当者に抜擢し、会社全体で採用戦略に取り組む企業も出始めている。また、ＩＴ企業などは検索エンジンやネット広告の運用ノウハウを生かし、ネットの求人広告の戦略に力を入れている。すでに世の中は採用戦略を制したものが、ビジネスも制するという難しいステージに突入しつつある。

一方、いつの時代も、資本力のある大企業が採用で有利になる状況は変わっていない。会社の知名度に加えて、給与面、待遇面でも圧倒的な差をつけることで、優秀な人材は条件のいい大手企業に流れていく。特に最近は企業間の格差が広がり、中小企業と大企業の待遇面での差が歴然と出てしまっている。それに対して中小企業は「給与も休みも少なく、知名度もない会社ですが、うちで働いてくれませんか？」と誘うしかなく、その話に乗って、喜んで就職してくれる人の数は限られてしまう。

小さな会社は、厳しい採用戦線の中で大企業と戦いながら、自社の魅力を相手に伝えて、あの手この手を使って、優秀な人材を確保していかなければならない。モノを売るよりも、人を採用することが難しい時代になったことは、多くの企業が受け入れなくてはいけない現実なのである。

さいたま市の取材を進める中で、人材採用がどのように行われているのか知りたくなった。人口を増やし、住みやすい街をつくり続けていくためには、優秀な職員の確保は必要不可欠である。一方、さいたま市は「東京が近い」というメリットがある半面、東京に優秀な人材が流れてしまうデメリットを抱えている。国家公務員をはじめ、東京都庁、東京23区の特別区職員など、魅力的な公務員の仕事が同じ圏内にあるため、公務員を目指す人にとって、さいたま市は働く場所の候補先のひとつに過ぎない。さらに政令指令都市の場合、同じエリアに「県庁」という強力なライバルがいるのも厄介である。

さいたま市は政令指定都市の中では上位のポジションにいるが、採用面では「中小企業の中でちょっといい会社」ぐらいのところに位置しており、人材の確保では厳しい状況にあるのではないだろうか。「住みたい街」と「働きたい街」は別物であり、充実した教育によって優秀な子どもたちがたくさん住む街にはなったが、その子どもたちが将来、さいたま市役所の職員として働いてくれるとは限らない。人材採用のうまくいかない自治体では、やがて成長戦略を組み立てていくことが難しくなり、徐々にさいたま市の成長が鈍化していくことにもなりかねない。

「さいたま市の人材採用は、やはり埼玉県庁、東京都採用、東京23区の特別区採用とぶつ

市長公室副参事 真々田和男さん

かってしまうところがあります」

市長公室副参事の真々田和男《ままだ》さんは、職員の採用の難しさを語る。2022年度のさいたま市の採用状況を見ると、大卒枠で受験者数が678人に対して、合格者数は191人。倍率は3・5倍である。採用枠の条件が若干違うので、一概に比較することは難しいが、首都圏の他の政令指定都市と比較しても、さいたま市の倍率は決して高くはない。

注目すべき点は、2022年の埼玉県庁の一般行政の受験者数1144人に対して、合格者数は300人と、倍率は3・8倍に留まっている点である。さいたま市と同様、倍率は高くなく、さいたま市の持つ「交通の便の良さ」という強みは、一方で、東京に魅力を

図表28 首都圏の主な政令指定都市の2022年度の大卒の倍率

都市名	採用区分	倍率
さいたま市	行政事務A	3.5 倍
千葉市	行政A	4.8 倍
横浜市	事務	6.1 倍
川崎市	行政事務	5.9 倍
相模原市	行政	7.1 倍

出所:公務員試験総合ガイドより

感じてしまう人が流出してしまう要因であることが窺える。

さいたま市は教育に力を入れている街である。優秀な人材が市内にたくさんいるのであれば、その人たちを採用することに力を入れていけばいいのではないか。

「さいたま市役所は、市外からの就職希望者が多いんです。県内だけではなく、全国から受験者が集まります。逆にさいたま市に住んでいるからといって、それが動機でさいたま市役所の職員になりたいという人は少ないのが現状です。純粋に公務員志望の学生が受験するので、他の公務員試験とバッティングしてしまうのは致し方ないところがあります」(真々田さん)

地方の都市であれば、「地元の市役所で働きたい」と思う学生が多いが、首都圏近郊に住む学生では、そのような保守的な考えを持つ人のほうが少ないのかもしれない。特に優秀な学生になればなるほど、より高みを目指すようになり、刺激的な都会の仕事に就こうとするのは、教育に力を入れてきたさいたま市の〝副作用〟といえるのかもしれない。

年間1万6000件もの改善アイデアを出すさいたま市職員

さいたま市の人材採用の流れは、一般企業と大きく変わらない。大学3年次にインターンシップとして2週間ほど職場体験をし、そこで市役所で働く魅力を感じてもらう。その後、一次試験で筆記、二次試験で論文と面接をクリアして、晴れてさいたま市職員として採用となる。

「それでも、今の時代は『やりがい』だけで採用するのは難しいのが現状です。勤務条件はもちろんのこと、ネームバリューも非常に重要です。さいたま市の採用試験で合格した人は、他の公務員試験でも合格しているケースが多く、特に東京23区の特別区職員のほうに合格が出てしまうと、そちらに流れてしまう人は多いです」（真々田さん）

さいたま市の採用現場は、やはり「大企業に立ち向かう中小企業」という厳しい立場のようである。

そのような厳しい採用市場の中で、さいたま市も手をこまねいているわけではない。行政事務職の職員採用試験に、プレゼンテーション枠を導入した。公務員試験対策が必要な教養試験や専門試験、論文試験がない代わりに、基礎能力検査（ＳＰＩ３）やプレゼンテーションが主となり、スポーツや文化・芸術等の成績や起業経験等、顕著な実績や突出した成果を通じて得意分野を試験に生かすなど新たな採用方法にも力を入れている。

新卒でさいたま市の職員になった人の仕事内容はどのようなものなのか。

まずは、市内に10区ある区役所もしくは本庁に配属されて、市民の最前線で働くことが、さいたま市職員としての第一歩となる。一般企業と同じように先輩社員がメンターとして一人ずつついて、フォローをしながら新卒職員を育てていく。

私自身、公務員として働いた経験がなく、失礼ながら市役所の業務は「言われたことをやればいい仕事」という印象しか持っていなかった。しかし、現実はそんなに甘くはないようである。

「公務員は楽な仕事で、クビも切られないと思っている人は多いと思います。しかし、自分から積極的に仕事をしていかなければ、希望している部署には就けませんし、受け身の姿勢で仕事ができるような職場ではありません。部署によっては残業もありますし、スキルを磨いて、努力して成長していかなければいけない点は、民間の企業と変わらないと思います」（真々田さん）

さいたま市職員の仕事に対する姿勢は、様々な取り組みからも見えてくる。たとえば２００９年から取り組んでいる「一職員一改善提案制度」は、窓口の対応時間の短縮や、スケジュール管理の改善など、職員から業務改善のアイデアを募り、業務のブラッシュアップに努めていく取り組みである。しかも、この改善アイデアは5年連続で年間１万６０００件も職員から提案されており、その数からも、職員の仕事に対するモチベーションの高さが窺える。

また、さいたま市には「わたしの提案」という市長への提案制度があり、市民からの質問や困り事、相談などをホームページ上で受け付けているユニークな取り組みが行われている。常に問い合わせの進捗状況がネット上で公開されているため、職員は質問をたらい回しにしたり、回答に手を抜いたりすることが一切できない。職員から見れば非常にハードルの高いサービスだが、開始したばかりの２０１３年は、全体の平均回答期間が28・1

図表29　「わたしの提案」の受付から回答までにかかった平均日数

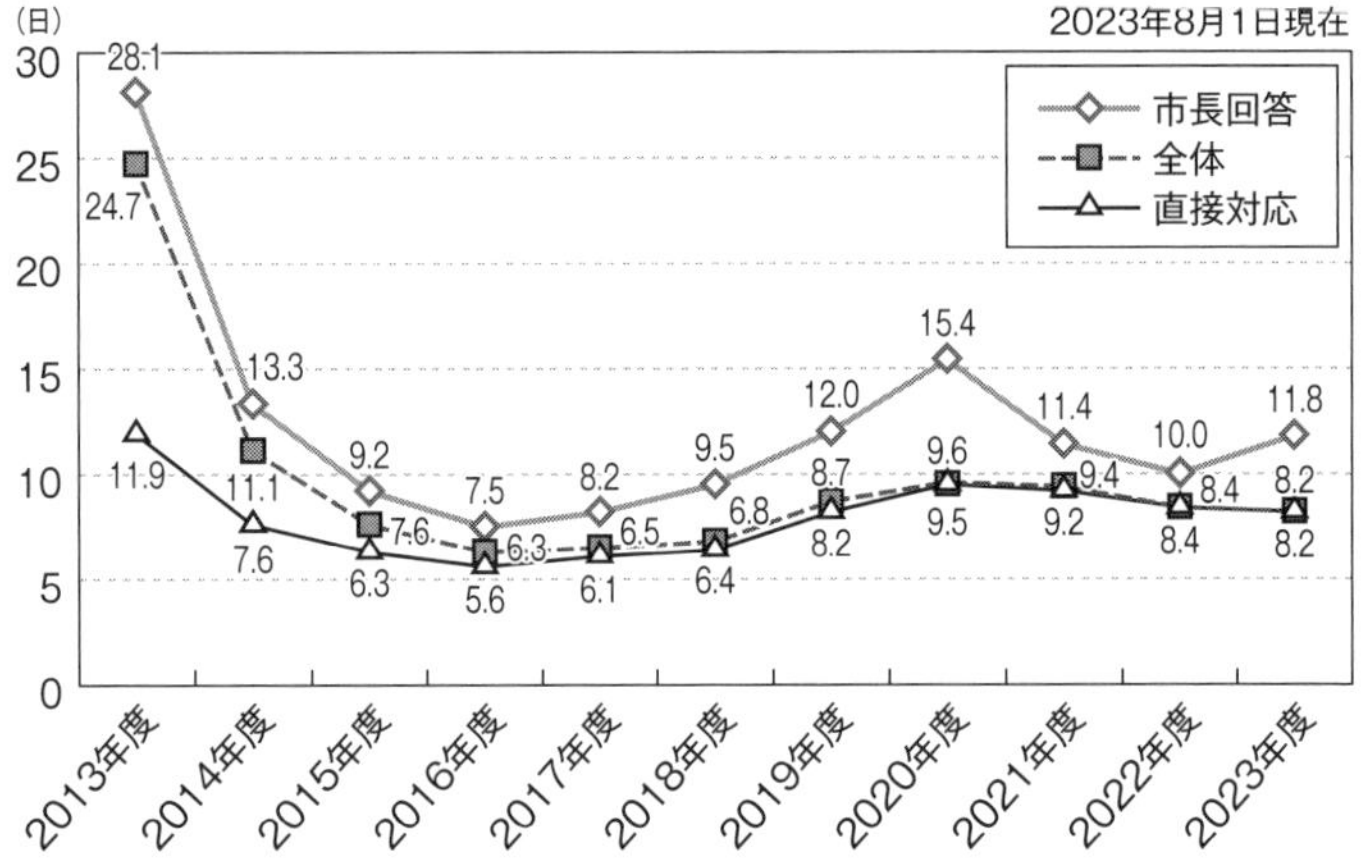

出所：さいたま市のホームページより

日と約1カ月かかっていたものが、2023年には8・2日まで短縮されている。職員の市民サービスへの意識の高さがこの数字からも垣間見ることができる。

余談だが、本書の執筆にあたり、さいたま市の各区役所に、区の見どころについてのアンケート調査を行った。観光地でもない行政区に対して、答えづらい質問をしてしまったと思ったが、10区すべての担当者から、こと細かに区の見どころを紹介したレポートが期日までに送られてきた。

企業の広報担当者に同じようなアンケート調査を行うことがあるが、提出期限が遅れたり、回答がいい加減だったり、正直、まともに取材に対応できる企業のほうが少ないのが現状である。そういう意味でも、さいたま市の職員は、仕事に対するモチベーションを高く維持していなければ務まらない仕事であることは、今回のアンケート調査からも知ることができた。

職員の仕事に対する意識が高い理由は何なのか。

「さいたま市の仕事は、県を経由せず、ダイレクトに霞が関の省庁とやりとりできる面白さがある一方で、市民に直接『ありがとう』と感謝される喜びもあります。自分たちで企画を立案して、市のサービスに導入していくという仕事のやりがいがあるので、県や特別区の仕事よりも刺激はあると思います。なおかつ、一般市よりもスケールの大きい仕事ができるのが、さいたま市職員のモチベーションの高さにつながっているのではないでしょうか」（真々田さん）

まさに行政の仕事の〝美味しいとこ取り〟ができるのが、さいたま市の仕事の魅力といえそうである。企業にたとえるのなら、ユーザーの声をダイレクトに聞けて、なおかつ上場に向けて事業を拡大していく「ベンチャー企業」に気質は近いといえる。

公務員を子どもの〝憧れの仕事〟にする

人材の採用に関しては、多くの企業が頭を抱えている。大企業のネームバリューや待遇面に打ち勝って、いかに優秀な人材を確保できるかは、その企業の採用戦略にすべてかかっている。

多くの企業がインターンの取り組みや採用メディアの活用などに力を入れるが、これだけ大企業との採用条件に差が出てきてしまうと、小手先の採用戦略では歯が立たないところがある。大学生になってから、「この企業で働きたい」「この業界で働きたい」と思わせるのはすでに手遅れであり、子どもの頃から業界や企業に対しての強い憧れを持たさなければ、大企業に優秀な人材が集まってしまう流れを止めることはできない。

最近では大学生になる前、つまり子どもの頃に自分たちの会社や業界を〝憧れの仕事〟と位置付けてもらうために、様々な採用プログラムに取り組んでいる企業が増えている。

たとえば、鉄道会社や航空会社では、小学生向けの職場体験に力を入れて、子どもたちに「この仕事はカッコいい」と憧れを持ってもらうことに力を入れている。他にも、介護現場の人材不足から、老人ホームが小学生向けの体験教室を開催したり、ＩＴ企業が将来のシステムエンジニアの採用に向けて、自社でプログラミング教室を運営したり、子どもたちの職場体験を通じて〝超青田買い〟の採用戦略を展開する企業が増えている。

特に中学生の職場体験は、７～８年後には採用見込みの学生になっている可能性が高いこともあり、学校行事としての職場体験ではなく、リクルートの意味も含めて、本気で職場体験に取り組む商店街のお店や中小企業も少なくない。

さいたま市の仕事も、子どもの頃から積極的に市役所で職場体験を行えば、もしかしたら「大きくなったら、さいたま市役所で働きたい」という夢を持つ子どもたちが出てくるかもしれない。少なくとも、大学生になり、埼玉県庁、特別区、都庁と横並びになった時に、子どもの頃にさいたま市役所に対して良い印象を持っていれば、就職先を決める際にさいたま市役所に対して、アドバンテージが生まれる可能性は十分にあるといえる。

もうひとつ、これは多くのさいたま市職員を取材して思ったことだが、「話を聞いてみると、実は面白い取り組みをしている」というケースが多かった点である。「こういう街づくりをしていきたい」「こういう教育をしていきたい」と、熱を込めて話す職員が多いことに驚かされた。自分の仕事に対する思いをストレートに話す人は経営者に多いが、中間管理職や社員では、珍しいケースといえる。

そこでふと思ったのが、さいたま市の職員は「話を聞いてほしい」と思う人が多いのではないか、という新たな視点だった。普段は地味で分かりにくく、苦労が絶えない業務ばかりだが、確実に市民のために役に立っていて、やりがいのある面白い仕事であることは、自分自身はよく理解しているのではないか。しかし、その仕事がフォーカスされることはほとんどなく、私のような「行政を取材したい」というモノ好きな人が現れれば、自分の仕事を理解してほしい思いから、ついつい熱を込めて話してしまうのかもしれない。

そう思えば、さいたま市の職員の仕事の活躍を、もっとオープンにして世に分かりやすく伝えることは、働いている人たちにとっても仕事のやりがいになるし、これからさいたま市役所で働きたいと思っている学生にとっても、重要なリクルート情報になる可能性がある。

「公務員の仕事は裏方」というのは、今は昔の話。仕事のやりがいと面白さを、もっと積極的に情報発信していけば、「公務員になるなら、さいたま市役所」という学生が増えていくのではないだろうか。

第8章

市長は「政治家」か、それとも「経営者」か？

トップを見れば、その企業の実力が分かる

２０２３年4月に行われたさいたま市議会議員選挙。さいたま市の清水勇人《はやと》市長が、ある候補者の個人演説会に出席するという情報を聞きつけ、千葉県から片道2時間かけてさいたま市まで聴講しに行った。事前に「取材」という許可を取ってしまうと、清水市長の本質が見えなくなると思い、市民に紛れて〝ダマ〟で会場に潜り込むことにした。

政令指定都市の市長が出席するのだから、さぞかし大きい会場での演説会をイメージしていたが、会場はこぢんまりとした小学校の教室で行われた（学校での個人演説会は公職選挙法で認められている）。候補者の支援者が30人ほど集まっていると、開始15分ぐらい前に、ふらりと清水市長が姿を現した。

第一印象は「普通の人」である。過去に国会議員や知事、市長などの取材をしてきたが、その人たちが醸し出す威圧感なオーラはまったくなかった。言葉は悪いが、その姿は街中でよく見かける「おじさん」である。この人物が幸福度や住みたい街ランキングで常に上位に位置する、日本屈指の政令指定都市の首長であることを、この会場の人たちの中

で何人が理解しているのか。さいたま市の取材を重ねてきた自分としては、その功績と目の前にいる清水市長の姿のギャップに、大きな戸惑いを感じてしまった。

個人演説会では、候補者や市民から数々の質問が飛んだ。それに対しての清水市長は早いレスポンスで、分かりやすく回答していく。一方的に自分の話をしたがる政治家が多い中で、相手の話をしっかり聞いて、なおかつ自分の答えを丁寧に述べる人は珍しい。

一方、他の政治家と違い、清水市長の話には常に慎重さを感じた。ジョークや冗談はほとんど言わない。政治家はトークのスペシャリストなので、話の中にユーモアやリップサービスを取り入れるケースが多い。

しかし清水市長の口からは、そのようなウィットに富んだ話は一切出てこない。迂闊なことは言わないという雰囲気が、常に漂っている。大風呂敷を広げることもなかったし、ハッキリとした口調で「これはできる」「これはできない」「これは検討中だ」と自分の意見を述べる。だからといって、冷たく突き放すような言葉は使わない。最後はやんわりと話をまとめてくるので、聞いているほうも頷きながら納得してしまう説得力があった。取材前に清水市長に関する資料や新聞記事を熟読し、「無難に市政をこなす市長」という印象を持ったが、どうやらその読みは間違っていなかったようである。

個人演説会の最後に、参加していた高齢の男性の一人が、やや複雑な質問を清水市長に投げかけた。市長に直接会えたことに興奮しているのか、質問にまとまりがなく、話の内容も長引いてしまい、聴講している側としても、理解することが難しい問いかけだった。

「貴重なご意見、ありがとうございました」

質問が分かりにくかったことに加えて、閉会時間が迫っていたこともあり、司会の女性がやんわりと質問を流そうとした。すると、清水市長が「すみません」と言って、マイクを握り締めて手を挙げた。

「今の質問、答えてもいいでしょうか？」

そう言うと、高齢の男性の目を見て、一つひとつの質問をかみ砕きながら、丁寧に回答をし始めた。

あの場の雰囲気から、質問を聞き流しても参加者から不満が出ることはなかったと思う。適当な返事をして終わらせることはいくらでもできたはずだ。しかし、清水市長は嫌な顔ひとつせず、一言一言を質問者と同じ熱量で答えていた。

この一件以来、清水市長に対して、「無難に市政をこなす市長」から「人の話を聞くプロの市長」という認識へと変わった。

仕事柄、企業のトップに会う機会は多い。そして、常々思うことは、経営者の人柄や考え方は、面白いぐらいにその会社の経営に鏡のように反映されるということである。雑な社長の会社は、やはり経営そのものが雑になるし、見栄っ張りな社長の会社は、やはり見栄えだけがいい、利益の薄い張りぼての会社になりやすい。もちろん、私の守備範囲が中小企業ということもあり、トップのカラーが露骨に経営に反映されやすい一面はある。しかし〝経営〟という事象が人間によって作られる〝作品〟のようなものである以上、トップに立つ人間によって、その会社の全体像が見えてきてしまうのは、無理筋な話ではないといえる。

そのような理由もあって、今回、さいたま市が人気都市に駆け上がった要因を探る上で、最も興味を持ったのが、トップに立つ清水市長の存在だった。現在、さいたま市の教育やスポーツに力を入れた政策のほとんどは、清水市長が就任してから実現されたものである。さいたま市の交通の便の良さが人口増に起因しているのはもちろんだが、幸福度ランキングや住みたい街ランキングで上位に押し上げたのは、やはり清水市長の功績が大きいといえる。

清水市長という〝政治家〟を〝経営者〟として分析すれば、今、日本が抱える都市問題の解決策が見えてくるのではないか。そして、どのような人物が、どのような判断で今の都市をつくり上げてきたのかを解明することができれば、企業のブランド戦略やマーケティング戦略のヒントが摑めるかもしれない。

そのような思いで、関係者へのヒアリングや市民の声、過去の新聞、清水市長の書籍などを検証し、さいたま市の大逆転劇の秘密を探ることにした。

ライバル意識が剝き出しだった「大宮vs浦和」

清水市長の人物像を知るためには、さいたま市の誕生の歴史から紐解《ひもと》いていかなければいけない。

昭和初期の頃には、すでに旧浦和市、旧大宮市、旧与野市の3市の合併話は、何度も議会に上げられていた。1997年にようやく3市合併推進協議会が発足、1999年から始まった政府主導の「平成の大合併」の流れに乗り、2001年5月1日、政令指定都市に指定される前提として、まずは「さいたま市」が誕生した。

余談だが、『さいたま市誕生　浦和市・大宮市・与野市合併の記録』によると、合併前の2000年に、新しく誕生する市の名称を全国から募集したところ、6万7000件もの応募があったそうである。その中で一番多かった名称が「埼玉市」で、2位が「さいたま市」。市名公募の条件として常用漢字の使用があり、当時は「埼」が常用漢字ではなかったため、2位の「さいたま」が採用された経緯がある。その後、ヒット映画『翔んで埼玉』のワンシーンで「県庁所在地が『さいたま』ってダサくない？」とヤジられるセリフに使われるとは、当時の市名をつけた担当者は思いもしなかったであろう。

なお、ユニークな候補名としては、4位の「彩玉市」、5位の「彩都市」などが挙げられていた。字面もよく、響きもいいので、もしかしたら、今、住民投票をすれば、こちらの市名が採用されていたかもしれない。一方で、79位の「なかよ市」、91位の「ミレニアム市」などが選ばれていたら、さいたま市の歴史も大きく変わっていた可能性もある。

少し話が脱線したが、長い間、合併問題を抱えていた浦和、大宮、与野の3市は、念願叶《かな》ってようやく「さいたま市」として誕生することになった。

しかし、当時の日本の市町村の合併において、大型都市同士がひとつの自治体になることは想定されていなかった。ほとんどが、中心となる大型の市に、周囲の小さな市町村が吸収されていくパターンで、旧浦和市と旧大宮市のような2つの大都市が対等合併するこ

2001年5月、さいたま市誕生。市役所の前でテープカット（写真提供：さいたま市）

とは、日本でも稀有《けう》な事例となった。

合併時のデータを見ると、旧浦和市の人口が49万人で、面積が70平方キロメートル、旧大宮市は46万人で、面積が89平方キロメートルと、市の大きさも人口も、ほぼ互角の状態である。合併後の主導権をどちらが握るか、行政同士がもめてしまうのは必至の状況といえた。

これで旧浦和市と旧大宮市の仲が良ければ、まだ救いの手はあった。しかし、この2つの市のライバル意識は歴史的にも根深く、当時からこの2つの市の合併には周囲の市町村から「大宮と浦和が一緒になるのは無理」という心配の声が上がっていた。

旧浦和市は県庁が置かれている県行政の

中心地であり、加えて〝文教都市〟と言われるほど市民の意識が高い街である。一方、旧大宮市はJRをはじめとした新幹線各路線が集結し、商業を中心として栄えた街として全国に名を馳せていた。「文化人vs商人」という相反するカラーが、逆に分かりやすいライバル関係をつくり出したことで、マスコミも面白おかしく、この2つの市をことさら大げさに取り上げるところがあった。

そんなライバル意識剝《む》き出しの2つの市が合併したのだから、当然、さいたま市の最初の市長選は大激戦となる。当時の『埼玉新聞』の記事によると、候補者は皆、地域間対立を否定し、公平な立場を強調しながら選挙運動を行っていたという。

しかし、票の出方は明確に「浦和派」と「大宮派」に分かれており、市民の間では「負ければ植民地になって冷や飯を食わされる」などとささやかれ、初めての選挙は旧大宮市と旧浦和市の旧市長同士の一騎討ちとなった。そして、選挙の準備にいち早く動いていた当時の旧浦和市長が2万票の差をつけ、さいたま市の最初の市長選は旧浦和市に軍配が上がることになった。

ちなみに、当時のさいたま市の市長選の投票率は46・41％。2021年の市長選の28・7％という数字と比較すると、いかにこの選挙が市民の関心を集めていたのか、窺い知ることができる。

その後の2003年4月1日、さいたま市は日本で13番目の政令指定都市になった。記念式典はさいたまスーパーアリーナで行われて、大宮駅西口には特設ステージが設けられ、午前0時からカウントダウンパーティが行われるほど、大いに盛り上がった。

この時点で、すでに最初の市長選から2年の月日が経過しており、さいたま市はひとつになったと思われた。しかし、当時の『埼玉新聞』では、合併後も遺恨が市民にあることを記事で紹介している。

「大宮、与野が浦和に取られたようだ」

「大宮市がなくなったのは寂しいし、与野の名前も残してほしかった」

当時の様子を、元さいたま市議の一人が語ってくれた。

「現職の市長同士が選挙で戦ったのだから、しこりがある程度残ることは予想していました。だから、当時の新しいさいたま市長も旧浦和市出身でしたが、ことあるごとに『大宮に力を入れないとダメだ』と言っていました。肌感覚ですが、行政の力の入れ具合は旧浦和市が45に対して、旧大宮市が55ぐらいの力の入れようだった感じです。それだけ気を使って当時の市政は運営されていました。でも、市長選で想定以上に旧大宮市民にしこりを残してしまったのは、大きな誤算だったと思います」

２００５年に行われた2回目の市長選でも、新しく合併した旧岩槻市の票を取り込んだ現役市長が当選を果たす。そして、２００９年の市長選でも現役市長が3期目を狙って出馬を表明。合併から8年、政令指定都市になって6年。さすがに地域間対立は収まっていると思いきや、旧浦和市vs旧大宮市の対立は根強く残っていた。

当時の『埼玉新聞』によると、旧浦和市の女性を取材した際、立候補者の名前を確認したあと、「でも、この人、大宮の人でしょ」と、出身地を見てから候補者を選んでいたという。また、旧大宮市出身者が集まる決起会では、応援弁士がステージに上がり「これ以上、浦和の植民地でいいのか!」と叫ぶと、会場で大きな拍手が巻き起こったとか。

3度目の市長選でも、地域間の意地とプライドがぶつかり合う戦いになることを誰もが予想していた。しかし、その市長選に突如として現れたのが、当時、埼玉県議だった清水勇人だった。

日本の政治の分岐点となったさいたま市長選

清水勇人のこれまでの政治家人生は、決して平坦な道のりではなかった。1995年4月に行われた埼玉県議選に33歳の若さで出馬するものの、最下位で落選。当時の『埼玉新聞』の選挙結果によると、トップ当選の候補者が2万3000票を獲得したのに対して、清水氏は6000票も獲得できず、文字通りの惨敗に終わっている。後に清水勇人は著書『この男、行動力。清水勇人』において「当時の私は地に足がついていなかった」と選挙の敗因を述べている。

その後、一から政治の世界を学ぶ決心を固め、衆議院議員の秘書を7年務める。そして、さいたま市が政令指定都市になった2003年、再び埼玉県議選に立候補、今度はトップ当選を果たし、念願の埼玉県議となった。

その後、清水勇人は埼玉県議を2期目の途中で2009年に辞職、さいたま市長選に立候補する。しかし、当時の現役市長は選挙にめっぽう強く、旧浦和市の市長選もひっくるめれば、5選5勝の圧倒的な強さを誇る手ごわい相手だった。

そのような背景もあり、当時は多くの人が清水勇人の当選を予想していなかった。
「現職の市長に挑むには、あまりにも力不足感が否めない」（『埼玉新聞』）
「旧大宮市に地盤があるわけでもなく、取材の印象としては、正直なところ『1回は落ちてもしょうがない』という感じだった」（元新聞記者）
しかし、蓋《ふた》を開けてみると、選挙結果は清水勇人の圧勝。こうして当時、18の政令指定都市の中で、2番目の若さの47歳の市長がさいたま市に誕生することになった。
なぜ、圧倒的な不利の中で、清水勇人は当選できたのか。ひとつに、当時の市長選が、民主党政権が勢いづくタイミングと重なったことは大きいといえる。
2005年の衆議院選挙で圧勝した小泉純一郎氏が、党総裁選の任期切れに伴い首相を辞職。その後、安倍晋三氏、福田康夫氏と1年で首相が政権を投げ出す事態が続き、自民党に対する不満が高まっていた。景気悪化の加速などで、国民の間でも政治に対する行き詰まり感も漂っており、次第に日本全体で政権交代のうねりが起き始める。
ちょうどその頃、2008年のアメリカ大統領選で、バラク・オバマ氏が「イエス・ウィ・キャン」「チェンジ」などのキャッチコピーで若者の支持を集め、初のアフリカ系、有色人種の大統領となり、日本だけではなく、世界全体が「世の中が大きく動き出している」というムードで盛り上がっていた。結果、さいたま市の市長選は最強と言われていた現役市長を退け、新顔の清水勇人の圧勝で幕を閉じたのである。

その後の政治の流れを見ると、この時のさいたま市長選が、いかに日本の政治の歴史において重要な分岐点になったのかが分かる。

市長選から約1カ月後の7月には東京都議会義選挙で自民党が惨敗、3カ月後の8月には民主党が総選挙で圧勝し、政権交代が実現した。民主党を勢いづかせたのは、明らかに当時のさいたま市長選であり、この選挙が日本の政治の重要なターニングポイントとなったのは明らかといえる。

政治の世界に〝たられば〟を持ち込むのはご法度だが、仮に清水勇人がさいたま市長選で負けていれば、日本の政治の歴史そのものが大きく変わっていたのかもしれない。

初当選後の清水勇人は、その後、市長選で連勝街道をひた走ることになる。2013年の2期目の市長選では、息を吹き返した自民党の有力候補者を破り、5万票近い差をつけて快勝。2017年の3期目の選挙では過去最高の20万票を獲得し、次点の候補者の3倍近い票の差をつけて当選する。この選挙で清水勇人はさいたま市内のすべての区で過半数以上の票を集め、「全10区トップ当選」という偉業を成し遂げる。そして、コロナ禍で行われた2021年の4期目の選挙でも危なげなく当選。対抗馬は1人しか出馬せず、投票率は過去最低の28・7％となったのは、ある意味、清水勇人の選挙の強さから出てきた副作用ともいえる。

当時、民主党の政権交代の勢いに乗って、多くの政治家が世にデビューしたが、その後、選挙戦で勝ち続けている人はほとんどいない。その中で清水勇人は、市民、職員、市議を味方につけて、政策でも次々に実績を出し、行政において最も重要な〝人口増〟という結果を出している。

仮に市長の立場を「経営者」として位置付けるのならば、〝売上〟という結果を出しているのと同じことといえる。そういう視点で見れば、清水勇人はトップとしての資質は十分にある人物といえそうである。

では、清水勇人とは、一体どんな人物なのか。

「策士でもなく、情熱家でもなく、ただただ真面目な人」（元新聞記者）

「良くも悪くも色がない人。冗談もあまり言わない。だけど、天然そうに見せかけて、実は計算高いところもあるんじゃないかと思うこともある」（さいたま市議）

「政治家でこんなに幸運な人がいるのかと羨ましく思う時がある」（元さいたま市議）

周囲から様々な声が聞こえてくるが、正確な人柄は、やはり一番身近な人に話を聞いたほうが確実といえる。会社組織でも、経営者の本質を探るのであれば、〝ナンバー2〟に話を聞いたほうが早い。この理屈を行政に当てはめるのであれば、市長の次のポジションにいる副市長が、最も清水勇人に近い人物ということになる。

副市長から見た「政治家・清水勇人」

「一言で言ってしまえば、副市長の仕事は市長の補佐役です」

そう話すのは、日野徹副市長。清水市長の7歳年上になるが、市長公室で14年、副市長として7年の長い付き合いになる。市長は選挙で選ばれるので、市民にも馴染みのある仕事ではあるが、副市長は組織の上層部でありながら、市民からは見えづらいポジションのため、その仕事内容を知る人は少ない。

「市長の代わりに総会に出席したり、病気や怪我をした時、代わりに市政を運営したり、フォローに回るのが主な仕事です」

その話を聞くと、「市長の代理」というのが、副市長の分かりやすいポジションといえ

日野徹副市長

そうである。しかし、副市長に選ばれるプロセスを聞くと、市長とは大きく異なる。

「市長から副市長の任命を受けて、本人が了承すれば、そこから議会に議案として提出されます。そこで同意を得られたところで、初めて副市長になれるのです」

副市長になった場合、市役所のプロパーの職員は「特別職」に就任するため、「一般職」としての公務員を辞めなくてはいけなくなる。そして、仮に4年勤め上げたとしても、結果を出せず、市長から任命を受けなければ、そこでお役御免となってしまう。

政治家の仕事は常に結果を求められるが、一蓮托生《いちれんたくしょう》となる副市長は、さらにシビアなポジションといえる。〝副〟というぐらいだから、もう少し気楽な仕事をイメージしていたが、市長と同等の覚悟がなければ、務まる仕事ではない。

日野副市長に、清水市長と初めて会った時の印象を聞いてみた。

「当時、私は市役所の一職員でしたが、〝好青年の若者〟という印象が強かったですね。職員も応援する人半分、様子見の人半分という感じでした」

しかし、就任してからの清水市長の行動に周囲の人は驚かされる。

「市内のすべての学校に、朝、挨拶をして回りたいと言い出したんです。人口100万を超える政令指定都市ですから、学校の数は相当あります」

その取り組みを聞いた時、日野副市長は「一度始めたら、途中でやめることは絶対にできませんよ」と清水市長に忠告した。途中で止めたら、子どもをダシに使ったと周囲から言われるのは分かっていたし、実際に、一部市議の間では、「市長のパフォーマンスだ」と批判する声が少なくなかった。

しかし、結果的に清水市長は、さいたま市立168校（2023年現在）の公立学校すべて（小学校、中学校、高等学校、中等教育学校、特別支援学校）に朝の挨拶に回り、さらにその後は2巡目も回り、周囲の批判を抑え込んだ。

「市長の仕事は多忙を極めるので、パフォーマンスでできるものではありません。それをやってのけた清水市長は、本当に純粋に子どもたちの『おはようございます』が聞きたかったんだと思います」

この行動力に、次第に周囲の「ただ勢いに乗って当選しただけの市長」という雑音はかき消されていく。

清水市長の現場主義のスタイルは、さいたま市の10区の区役所すべてでも同じように行われた。各区役所に自ら足を運び、現場の職員に声をかけ、じっくりと話を聞く。あまりにも真剣に話を聞くので、予定時間をオーバーすることも度々あった。

そんな清水市長も、当選当初は苦労も多かったのではないか。難攻不落の現役市長を選挙で退け、たった一人でさいたま市役所に乗り込んできたのだから、不安な気持ちにならないほうがおかしい。まして、当時は「浦和vs大宮」の地域間対立が激しい時代である。旧浦和市にある市役所に、旧大宮市の清水市長が行くことは、味方が誰もいない敵陣に、たった一人で武器も持たずに乗り込んでいくのと同じといえる。

ビジネスにたとえるのなら、合併した企業に、親会社からたった一人で雇われ社長として乗り込んでいくようなものである。相当な苦労話が聞けると思い、当時の状況を日野副市長に聞いたところ、「特に苦労だとは思わなかったのではないか、と思いますよ」と意外な言葉が返ってきた。

「清水市長は根っからの政治家ですからね。最初から何かに立ち向かっていく覚悟は持っていたと思いますよ。やっと摑んだ県議を辞めて、勝てないと言われていた選挙で勝ち抜いた人ですから。一人で敵陣に乗り込んでいく不安があることも百も承知だったんじゃないでしょうか。我々のような一般市民と違って、本物の政治家なので、苦労だとは感じなかったと思いますよ」

それでも市長に就任した一期目は、議会の調整が大変だったという。しかし、その後は議員とのコミュニケーションを増やし、想いを共有し、方向性を調整しながら議案を通していく術《すべ》を学んでいったという。

その調整力の賜物《たまもの》が、2022年に可決されたさいたま市役所の移転である。さいたま市役所は現在、合併時に旧浦和市の市役所を利用することで、20年以上使用されてきた庁舎だった。しかし、合併時の「合併協定書」では、「将来の新市の事務所の位置については、さいたま新都心周辺地域が望ましいとの意見を踏まえ、新市成立後、新市は、交通の事情、他の官公署との関係など、市民の利便性を考慮し、将来の新市の事務所の位置について検討するものとする」とされていたことから、常に移転の必要性が議会に上がっていた。

一般的な議案は出席した議員の過半数を取れば可決できるが、市役所の移転に関する条例の改正案は、3分の2以上の賛成がなければ可決することができない。もともと旧浦和市と旧大宮市が対立し、さらに自民党が二派に分かれ、様々な政党が入り乱れているさいたま市議会において、大多数の賛成票を獲得するのは一筋縄でいかないことは明らかだった。

さいたま市役所

それを清水市長は、14年という長い年月をかけて議会を説得し、市議会で市庁舎の移転を可決することができた。

今回の取材で、清水市長の印象を関係者や市民に聞くと

「良くも悪くも色がない市長」「とても運がいい市長」「全方位的にうまくやっている市長」と、八方美人的な評価をする人は多い。しかし、さいたま市の地域間対立の歴史と、政令指定都市としての強みを生かす市政を行うためには、清水市長の政治家としての調整力とバランス力がなければ、実現することは難しかったかもしれない。

「清水市長の仕事のスタイルは今も昔も変わっていないですね。年齢的には市長も61歳になりますが、私の中では初めて会った時の好青年のままですよ」

清水市長の市政に対する思いは、当選した当時から変わっていない。

トップに立つ人間は〝純度の高さ〟で決まる

以前、プライム市場に上場する経営者と「なぜ、社長は女性と遊びたがるのか?」という話をした際、とても腑《ふ》に落ちる回答をしてくれたことがあった。

「それは、その経営者の目標が『女の子にモテたい』だったからですよ。他にも『いい車に乗りたい』とか『有名になりたい』とか、経営者の本音のところでは、経営目標とはまた別のところに目標があったりするんです。だから、その目標が達成してしまうと、その経営者は仕事を頑張らなくなってしまうんです」

私の身の回りにも高級外車を乗り回す経営者や、愛人の自慢話をする経営者が少なからずいる。しかし、それらの経営者の会社が、その後、大きく成長した事例はほとんどない。経営は悪化しないものの、会社の規模と売上は、不思議とその後は横ばいのままになる。

興味本位にその経営者にも「あなたの本音のところの目標は何ですか？」と聞いてみた。

「私は学生の頃から『経営者になりたい』と思っていた人間ですから、今でも目標は『経営がしたい』ですね。だから、上場することができたし、上場するまでの仕事も大変でしたが、苦労だとは思わなかったですね」

経営者としての純度の高い人間になればなるほど、精度の高い経営ができるというのは、合点のいく話だった。

この話は政治の世界にも当てはまるのではないか。社会に出て、自分がちっぽけな存在だと気づき、人生の一発逆転を狙おうと思った場合、凡人に残された道は「政治家」になるか「経営者」になるかの二択しかない。「人から尊敬されたい」「有名になりたい」という自尊心を満足させてくれる仕事は、実のところ限られている。

「本当に市民や国民のためを思って政治家になった人もいるよ」

そう思われる人もいるかもしれないが、先ほどの上場企業の経営者の話の通り、政治家としての純度の高い人間は、やはり少数派と思われる。建前上で「世の中のため」と口にはしているものの、自分自身も気づかないところで、本音の部分では「人から尊敬されたい」「有名になりたい」と思って政治家を志す人は、実のところ多いのではないかと思うところがある。

数々の政治家のスキャンダルを振り返ってほしい。賄賂を受け取る政治家は「お金が欲しいから政治家になった」。女性スキャンダルを起こす政治家は「女の子にモテたいから政治家になった」。パワハラで訴えられる政治家は「威張りたいから政治家になった」。政治家のトラブルを掘り起こすと、政治を志したその議員の「本音」の動機が見えてくる。

もし、本気で「国民のため」を思って政治家を志すのであれば、まずは省庁で働いたり、政治家の秘書を経験したり、地方自治体で地道な議員活動をしたり、政治家になるための勉強の期間を設けるのが一般的なプロセスといえる。

しかし、そのような過程をすべて吹っ飛ばして、有名人やタレントがいきなり選挙に出馬するのは、やはりそこに「人から尊敬されたい」「有名になりたい」という自尊心を満足させてくれるポジションがあるからというのが、実情ではないだろうか。

本書の執筆にあたり、20の政令指定都市の市長の経歴を調査した。ほとんどが県会議員、国会議員、副市長、省庁で仕事をした経験者で、政治家経験ゼロから市長になった人は数えるぐらいしかいない。そういう意味でいえば、政令指定都市の首長は、政治家としての純度が高いほうが、資質としては向いていると思われる。

しかし、資質に恵まれていたとしても、度々トラブルを巻き起こす政令指定都市の市長は後を絶たない。一番多いのが知事との対立だ。政令指定都市は二重行政に陥りやすいことから、度々「知事vs市長」のバトルが勃発《ぼっぱつ》する。時には見苦しい争いを繰り広げることもあり、聞いている市民のほうが気分を悪くしてしまうことも少なくない。

また、市議会と調整がつかず、右往左往する市長もいれば、SNSで不要な発言をして謝罪する市長など、思いのほか、政令指定都市のトップは〝やらかす〟ことが多い。特に政令指定都市の場合、政党が分裂しやすく、県議と市議が入り乱れる形になるので、行政がややこしくなりやすい。一般市の市長よりもトラブルが起きやすい土壌があることは、我々市民側も理解しておく必要がある。

その中で、さいたま市の清水市長は〝安全運転〟の部類に入る。県議出身なので政治家としての純度が高く、埼玉県知事との関係性も良好。SNSはX（旧ツイッター）には手をつけておらず、不用意な発言で炎上することもない。

この姿勢を「無難に市政をこなす市長」と評価する人もいる。しかし、今回の取材を通じて見えてきたのは、清水市長は政治家としての純度が高いので、「人から尊敬されたい」「有名になりたい」という想いが乏しいのではないだろうか。政令指定都市の市長に、そのような想いが少しでも出てしまうと、県知事とぶつかったり、SNSで自己主張したり、余計な軋轢《あつれき》を生む流れになってしまう。

しかし、政治家として、「市民のため」を思うのであれば、不要な争いにエネルギーを向けず、その街で暮らす人たちと正面から向き合い、議会で調整をかけて、しっかりとした落としどころを見つける行政を進めてくれたほうが、市民は確実に幸せになれる。

自分の政党のことを第一に考え、SNSで市議やマスコミ、芸能人に噛《か》みつく市長よりも、市内の学校に足を運び、朝、挨拶をして回り、「子どもたちの笑顔を見るのが楽しい」と言ってくれる市長のほうが、政治家としての純度は高いのではないだろうか。

次の章では、さらにトップの本音を探るべく、清水市長に2時間にわたるロングインタビューを敢行。政治家を志したきっかけから、これからのさいたま市の未来について、大いに語ってもらった。

第9章

市長が語る、さいたま市が翔んで大逆転した理由

さいたま市が政令指定都市になってから2023年で20年。当時、「ダサイタマ」と言われ続けていたさいたま市が、首都圏で住みたい街ランキングで3位に入り、政令指定都市の「幸福度ランキング」でも常に上位に入る人気都市に成長したのは、行政と市民の協力があってこその賜物といえる。さいたま市の大逆転の秘密は何か？ さいたま市長として4期15年務める清水勇人市長に、政治家になったきっかけ、大逆転までの経緯、未来に向けたさいたま市の行政について語ってもらった。

（聞き手・竹内謙礼）

さいたま市の5つの魅力が花開いた

——私、学生時代は埼玉県に住んでいました。旧大宮市や旧浦和市にも友達がたくさんいて、よく遊びに行ってましたが、まさか、さいたま市がここまでの人気都市になっているとは想像もしていませんでした。市長から見たさいたま市の成長の要因は何だと思われますか。

「いろいろあると思います。ただ、一言でまとめるのであれば、それぞれの地域の持っていた特性が、市民と行政の協力で少しずつ花開いていったというのが現状ではないでしょ

清水勇人さいたま市長（撮影：Shu Tokonami）

うか」

――その〝魅力〟について、もう少し詳しく教えてください。

「さいたま市には5つの魅力があります。1つ目は大宮駅を中心とした『交通の便の良さ』、2つ目は災害に強い『都市の強靭《きょうじん》性』、3つ目は英語教育などの『教育の充実』、4つ目は見沼田んぼや荒川の水辺に囲まれた『環境』、5つ目はサッカーや自転車競技のクリテリウムなどの『健康・スポーツ』。これらが時間をかけて人を惹きつける魅力へと成長して、それが多くの人にも理解されるようになって、人口増につながっているのではないかと思います」

――これらの魅力は、もとからさいたま市

にあったものもあれば、新しくゼロから創造していったものもありますね。

「さいたま市は昔から『なにも特徴がない街』と言われてきました。でも、裏を返せば『なんでもある街』の意味だと思うんです。それを5つの特徴に絞り込んだことで、さいたま市の良さが伝わりやすくなったところはあると思います」

——しかし、行政という抽象的なサービスを多くの人に理解してもらうのは難しいことだと思います。5つの魅力を引き出すために具体的に取り組んだことは何でしょうか。

「まずは『目標』を市民と共有することに力を入れました。市長に就任してから『しあわせ倍増プラン』を掲げて、住みやすい街にするための目標を細かく定めました。その目標が毎年どのくらいクリアできているのかを公開することで、市民と一緒になって街づくりに取り組める環境を整えました」

——目標を掲げることで、市民も行政サービスを自分ごとのように感じてもらうようにしたんですね。

「もうひとつ心がけたのは、『数値』で具体的な目標を定めることです。私が市長に就任した2009年の市民意識調査では、さいたま市を『住みやすい』と回答してくれた人は76・2％でした。この数字を上昇させることは、職員の共通目標になると思い、2015

年から住みやすさの意識調査で90％超えを目指そうということで、『ＣＳ90運動』の名称で行政の活動に力を入れるようにしました」

――ＣＳとは『Customer Satisfaction』の略で、一般企業が使う用語としては『顧客満足度』という意味になりますからね。

「でも、私たちのＣＳは『Citizen Satisfaction』です。つまり、市民満足度を表しています」

――現在の満足度はどのくらいでしょうか。

「２０２２年度は87・２％になりました」

――10ポイント以上も上げたんですね。

「それでも90％には届きませんでした。この満足度を上げるというのがなかなか大変なんですよ。１％上げるだけでも一苦労、２～３年のスパンで見ると横ばいにしか見えない（笑）。この大変さは数値化して初めて気づいたことです」

――数字へのこだわりがあったから、住みたい街ランキングや幸福度ランキングで常に上位に入る政令指定都市へと成長させることができたんですね。

「難しい表現になるかもしれませんが……実はそれらの民間のランキングにはあまりこだ

わりを持っていないんです」

――それは意外です。市長の発言でもランキングや数字の話がよく出てくるので、てっきりランキングには強いこだわりがあると思っていました。

「あくまで数字は職員や市民のみなさんが、一緒になって協力し合える分かりやすい目標なんです。目標を実現することは重要です。しかし、何のためにこの数字を目標とするのか、その意味を理解しないと本末転倒になってしまうこともあります」

――確かに、数字だけを目標にしてしまうと、どこかで行政のサービスにも無理が生じてしまいますからね。そもそも「幸せ」を数値化すること自体が難しいですし、かといって「幸せになろうよ！」と漠然とした目標にしてしまうと、今度は何をすればいいのか分からなくなってしまいます。

「市長は市民の『幸せ』を考えるのが仕事です。私は市長選の時に『しあわせ倍増計画』というマニフェストを掲げて、様々な『幸せ』についての政策を訴えてきました。それをベースにして行政の目標の『しあわせ倍増プラン』を制定し、２００９年、２０１３年、２０１７年と３期にわたって行い、市民サービスの充実を年々図ってきました。それらの取り組みが結果的に住みやすさの満足度の上昇につながれば、行政の仕事としては十分だ

著者（撮影：Shu Tokonami）

と思っています」

――「しあわせ」を「倍増」していくという言葉は面白いですね。

「この〝しあわせ倍増計画〟という言葉は、1960年に首相になられた池田勇人さんの掲げた『所得倍増計画』にあやかってつけたネーミングなんです」

――日本の高度成長期に制定された経済政策ですね。偶然にも、清水市長のお名前と池田元首相のお名前は、同じ〝勇人〟ですね。

「実は自分の名前も、父親が池田勇人元首相の名前にあやかってつけた名前なんです」

――「所得倍増計画」と「しあわせ倍増計画」のネーミングには、そんなつながりがあったんですね。

「文字通り、日本は所得を倍増する計画によって経済大国になりました。でも、今は経済成長だけで幸せになれる時代ではありません。経済や経営の指標と同じように、『幸せ』にも数字の目標を作ることは、都市を成長させていくうえで大事なことなんだと思います」

1年間、大学を休学して中東にボランティアへ

――清水市長が政治家を志した動機を教えてください。

「学生の頃は政治家になりたいという気持ちよりも、ボランティア活動を通じて、世界の貧困をなくしたいという思いのほうが強かったんです」

――グローバルなところに興味が向いていたんですね。

「高校3年生の時に、ベトナム戦争を取材したフリーのカメラマンの話を聞いたのがきっかけでした。世界には戦争で多くの生命が失われたり、その日の食べるものにも苦労している人がたくさんいることを知って、そういう世界をなんとかして変えていきたいという思いを強く持ったんです」

――貧困社会は、実際にそれらを体験してきた人の話を聞かなければ、なかなかイメージすることができないですからね。

「当時、母親が寝たきりで、自分が本当に大学に進学していいのか悩んでいる時期でもありました。何のために大学に行くのかと目標を見失っていた時でもあったので、この体験は私の人生を大きく変える出来事になりました」

――実際に海外にボランティアに行かれたのでしょうか。

「大学生になってから、1年間休学してタイの難民キャンプをはじめ、イランやイラク、シリアなどの中東地域をボランティアで回りました。中東での様々な体験は卒論のテーマとしても書きました」

――かなり活発に動かれたんですね。

「でも、すべてに共通していえることは、常に辛い思いをしているのは女性と子どもたちだという点でした。当時、大学で国際政治学を学んでいて、途上国の国家形成についても勉強していたこともあって、将来は世界で苦しんでいる人たちに、自分の力を少しでも生かしたいという思いを強く持つようになりました」

――でも、そういうボランティア的な仕事は、就職先としてあまり多くはないですよね。

「海外と取引のある商社や建設会社の就職も一時は考えました。でも最終的に、公益財団法人の松下政経塾に入りました」

――松下幸之助が設立した政治塾ですね。

「今でこそ、そういうイメージがありますが、当時は『選挙で戦う政治家』よりも、世界で活躍したいという気持ちのほうが強かったんです。だから、政治家になることなんてまったく考えていませんでした」

――意識が変わったのはいつ頃でしょうか。

「地方都市の大変さを目の当たりにしてからです。当時、松下政経塾出身の先輩が選挙に出馬するということで、その街にお手伝いに行ったことがあったんです。でも、そこは人口減が進んでいる街で、働く場も少なく、商店街で若い人を見かけることがほとんどありませんでした。街の活気も乏しく、そこで初めて、日本にも海外の国と同じぐらい大変なところがあることを知ったんです」

——首都圏に住んでいると、地方都市の現状にはなかなか目が向かないですからね。

「世界の貧困や飢えの問題は、早急に解決しなくてはいけない重要な課題だと思います。でも、その時初めて、足元である日本の抱えている問題を解決していかなくてはいけないと思ったんです」

——それから政治の世界に興味を持たれるようになったんですね。

「でも、当時は政治家ではなく、仕事をしながら、身近な問題を解決していくことに取り組んでいきたいと思っていました。たとえば国連で働いたり、NGO団体を立ち上げてボランティアをしたり、そういう活動をしたい気持ちのほうが強かったです」

——街を活性化させる仕事は、政治家にならなくてもできますからね。

「当時、松下政経塾の先輩の選挙を何度か手伝ったりして、選挙の難しさや大変さを知って『自分は選挙に向いていない』と思ったことも、政治に意識が向かなくなった理由だと思います。政治家にはならないけど、社会に貢献できる仕事はたくさんあると考えて、それから政治の世界とは少し距離を置くようになりました」

――松下政経塾を卒業されてからは、どのような仕事に就かれたのでしょうか。

「父が経営する会社を引き継いで、そこで業務内容を変えて企業の新規事業の立ち上げやコンサルティング、地域開発などの仕事をやっていました。仕事自体は本当に面白かったですね。若いこともあって、会社で寝泊まりしながらがむしゃらに働いていました。あの頃の経験は、今の自分の仕事にとても役立っています」

――さいたま市の政策のキャッチコピーや取り組みが非常に分かりやすいのは、そういう仕事の経験があったからなんですね。その後、１９９５年の埼玉県の県議選に立候補されます。マーケティング会社の仕事が面白くて、政治に興味を持っていなかった清水市長が、なぜ、急に政治への道を志すようになったのでしょうか。

「理由は2つあります。ひとつは、会社の経営だけでは街を変えていくのは難しいと感じたことです。社会に大きな変革を与えるような、インパクトのある仕事を見出すことができなかったんです。もうひとつの理由は、松下政経塾の同期や先輩が、次々に政治の表舞台に出ていったことが大きかったですね。自分自身に焦りみたいなものを持ち始めて、それで県議選に出馬することにしたんです」

——でも、結果は最下位です。敗因は何だったんでしょうか。

「選挙を甘く見ていました。立候補した街には2〜3人しか知り合いがいませんでした し、政党からの公認ももらえませんでした。準備期間が短かったことも負けた要因だと思います。当時、自分では頑張っているつもりでしたが、今振り返れば、もう少しやりようのあった選挙だったと思います」

——落選は大きな挫折になったのではないでしょうか。

「社会の厳しさを痛感しましたね。自分自身の甘さや経験値の少なさなどが身に染みて分かりました。自分の考えと市民の考えに大きなズレがあることも感じましたし、いかに自分がひとりよがりだったのかということも、この選挙で学びました」

——もう選挙はこりごりだとは思いませんでしたか?

「その逆で、もう一回チャレンジしようという気持ちのほうが強くなりました（笑）。選挙で応援してくれた衆議院議員の秘書に就いて、一から政治の勉強をすることにしました」

——次に出馬した2003年の県議選では見事にトップ当選です。勝因は何だったんでしょうか。

「政治に対する能力そのものを高めたことと、選挙までに人脈のネットワークづくりがしっかりできたことが大きかったと思います。落選した時の選挙では机上論で戦略を考えていましたが、この選挙では自分の実体験をもとにして、選挙の戦略をしっかり考え抜きました。だから、話す言葉の一つひとつに説得力があったんだと思います。ただ、そうは言っても私が立候補した区は新人だけの激戦区だったんです。トップ当選したのは事実ですが、正直なところ、『辛くも逃げ切ってのトップ当選』というのが本当のところです」

浦和駅でバチンと背中を叩かれて「応援してるからな！」

――念願叶って県議会議員に就任しましたが、2期目の途中でさいたま市長選に立候補します。やはり市長という仕事に対して、どんどん気持ちが高まっていったんでしょうか。

「県議の仕事は想定していたよりもやりがいがあって、面白かったんです。ただ、やれることに制限があって、フラストレーションが溜まっていってしまったんです」

——どのような制限でしょうか。

「県議は埼玉県全体のことを考えるのが仕事です。しかし市民から相談を受けると、私が住んでいる地区の見沼区の仕事もやっていかなければいけません。でも、そこの領域は政令指定都市の仕事になるので、県議でもできないことが多かったりしたんです」

——政令指定都市における県議の仕事は難しいとよく耳にします。

「当時、地元に『子ども未来クラブ』という団体をつくって、田植えや稲刈りなどの自然体験を開催したり、総合型地域スポーツクラブをつくって地域の活性化に力を入れたり、様々な地域活動をしてきました。もっと地域の人たちのために働こうという気持ちが強くなっていったんですが、県議の立場では大枠のことしかできず、思うように活動することができなかったんです」

——地域には貢献したいけど、取り組める仕事の規模が大きくなってしまう感じですね。

「もうひとつ、県議は主に行政のチェックと提案をすることが役割ですが、私はどちらかというと提案していくことのほうが性に合っていました。建設的なアイデアをどんどん出して提案していきたいという思いを抱くようになり、漠然と『市長をやってみたい』という気持ちが強くなっていきました」

――それで2009年、さいたま市長選に出馬することになります。しかし、当時は旧浦和市長時代も含めて5期連続で当選していた現役市長も立候補しています。当時の新聞も読ませていただいたんですが、現役市長圧勝のムードの中での立候補となりましたが、その中でも清水市長は勝ち目があると思っていたのでしょうか。

「当時のさいたま市は、まだ旧大宮市と旧浦和市の地域間対立が根強く残っていましたし、市全体に閉塞感のような混沌とした雰囲気が漂っていました。ただ、その中でも私自身は『チャンスが来た』という思いを強く感じていました」

――勝てる根拠のようなものを感じたということでしょうか。

「うまく説明できないのですが……しいて言うなら『勝てる』という肌感覚のようなものですね。私は当時を振り返る時、いつもあの選挙を『桶狭間《おけはざま》の戦い』と表現しています。大きな時代の変化、自分なりの戦略すべてがうまく動き、運も味方につけられ、これ以上のものはないと感じていました」

――市長選で「勝てる」と感じたのはいつ頃でしょうか。

「告示日当日でしょうか。最初の世論調査で現役市長と同じか少しでもリードしていれば、そのまま勝ち抜けると思っていました。そして実際にそのような調査結果が出ていたので、それで選挙に向けて自信を持って戦うことができるようになりました」

——選挙戦で心がけたことは。

「旧浦和市と旧大宮市の対立だけにはしたくなかったですね。さいたま市をひとつにしようという思いしかありませんでした。それは多くの市民が思っていたことだと思います。私は旧大宮市に住んでいましたが、浦和区と南区からはものすごい応援を受けていました。浦和駅で挨拶に回っていると、後ろから知らない男の人にバチンと背中を叩かれて『応援しているからな！』と言われたこともありました。やはり多くの人が、さいたま市をひとつにしたいという思いを強く持っていたんだと思います」

——市長に当選した時の感想は。

「当選して嬉しい半面、少し冷めた気持ちで、俯瞰《ふかん》的に眺めている自分もいました。さいたま市だけではなく、もしかしたら、これを機に日本の政治というのが大きく変わっていくのではないかという気持ちを持っていました」

——さいたま市長選から3カ月後の総選挙で、自民党が大敗して政権が民主党に移りました。まさにあの選挙が、日本の政治の分岐点だったといえます。

「これで旧大宮と旧浦和市がひとつになれると思っていたので、政令指定都市としてのメリットをどんどん生かしていこうという気持ちでいっぱいでした。さいたま市の地域のそれぞれのいいところを生かしながら、様々な問題を解決していきたいと思っていました」

市長になって数カ月で「本当にこの仕事量で4年も続けられるのか？」

――初登庁の日はどんな心境だったんでしょうか。

「県議の頃は市役所に行くことはなかったですし、大きい組織のトップになったこともないので、不安な気持ちもありました。でも、それ以上に受け入れる市役所の職員のみなさんも不安だったと思います」

――想定していたよりも市長の仕事は大変でしたか。

「大変でしたね（笑）。数カ月やって『本当にこの仕事量で4年も続けられるのか？』と思いました」

――いきなり100万人の政令指定都市の首長ですからね。そのプレッシャーの中でも仕事を続けられた理由は何でしょうか。

「当選させてくれた市民との約束を絶対に守りたい、という一心しかありませんでした。マニフェストで掲げた『しあわせ倍増計画』を実現しなくてはいけないという、その思いだけで市長の仕事に全力で打ち込みました」

——その仕事量でも、市長の仕事は1期4年では足りないという感じでしょうか。

「まったく足りないです。たとえば、何かひとつ施設をつくる場合でも、そのプロジェクトには構想があって、計画があって、話し合いがあってと、様々なプロセスを踏まなければ、その計画にゴーサインを出すことができません。しかも、ひとつのことを決めるだけでも1年以上かかることもあるので、4年でやり遂げられないこともたくさんあります。かといって、決まったことを廃止するのにも同じぐらいの期間を要したりするので、最終的には3期ぐらいやらないと、市が思い描いている街づくりというのは実現できないと思います」

――他にも市長の仕事で「これは想定外だった」ということはありましたか。

「市長は『いろいろな人の意見に耳を傾けなくてはいけない』という現実に、最初は戸惑いがありました。全員が賛成する政策なんてないことは県議時代に理解していましたが、それ以上に市長になったら、反対意見の人にも寄り添って意見を聴かなくてはいけないことを強く実感しました。ただ、そのあたりのギャップみたいなものは、1期目が終わる頃にはだいぶなくなっていました。2期目からは、いろいろな意見を調整していく方法を摑めるようになったので、だいぶスムーズに仕事が進められるようになりました」

――2期目以降はどのようなことを心がけて市政を運営されたのでしょうか。

「成長戦略に舵を切りました。当時、さいたま市の人口は2025年にピークを迎えると言われていて、人口減になると行政のサービスを減らさなければいけないという危機感を強く持っていました。だから2期目では、さいたま市の魅力である『交通の便の良さ』『都市の強靭性』『教育の充実』『環境』『健康・スポーツ』の5つの地域資源を強化していくところに力を入れていくことにしました」

――そのひとつが英語教育の強化だったんですね。

「これまでさいたま市は私立の幼稚園に子どもを入園させる親が多く、英語教育に早いうちから取り組んでいる園が多かったんです。それならば、小学1年生から英語教育を始めたほうがいいと思い、小学校からグローバル化を目指すことにしました」

――他にもいろいろな教科があるのに、あえて英語を選んだ理由はなんでしょうか。

「これからの世の中はどんどん国際化が進んでいきます。その中でグローバル人材を育てていかなくてはいけないという思いは強く持っていました。実際、自分自身も世界各国でボランティア活動をしてきて、英語を話すことの重要性は身に染みて分かっていました。英語を通じて日本と世界の文化や歴史を理解して、外国の人にも自己主張ができるようになりたいという実体験があったので、英語に力を入れる教育は必要だと思ったところはあります」

若田光一さんから学んだ、人の話を聞く姿勢

――社会人の多くは仕事において「決断」をしなくてはいけないシーンが多々ありま

す。市長も組織のトップとして、決断する機会が多いと思いますが、良い決断をするために心がけていることはあるのでしょうか。

「『全体最適化』でしょうか。政治や行政の判断は、どんなに良い決断を下したとしても、一部不利益を被《こうむ》る人が出てきてしまいます。その人たちの意見を尊重しなければ、合意形成はできません。さいたま市の発展や市民全体に利益をもたらす『全体最適化』と、一部市民や地域の発展に利益をもたらす『部分最適化』のバランスを考慮して、より良い最適化を図ることが、トップの判断としては必要なんだと思います」

――いわゆる〝落としどころ〟の見極めが大事ということでしょうか。

「いろいろな人の意見を聞いたうえで、説明を尽くして『ここまでは譲っても、ここのところは保たなければいけない』という線引きを少しずつ話し合いの中から見つけ出して、決断をしていく必要があると思います」

――そう考えると、トップは良い決断をするために、人の話に耳を傾けるコミュニケーション能力が求められそうですね。

「『人の話を聞く』という点においては、さいたま市出身の宇宙飛行士・若田光一さんの姿勢を見習っています。何度かイベントでご一緒させていただいたことがあるんですが、若田さんは子どもたちが質問すると、必ず『○○さん、いい質問をしてくれてありがとう』と前置きしてから、分かりやすく解説を始めるんです。相手の意見を尊重して、こちらが受け入れる姿勢を見せることで、話し合いの場の雰囲気がガラリと変わるのを見て、こういうふうに人の意見を聞く姿勢は素晴らしいと思って、見習わせてもらっています」

――人との話し合いは、どうやって相手を説得するかよりも、どうやって相手を理解するかのほうが大事ですからね。

「コミュニケーションを取る相手は、常に自分の意見に賛成してくれる人とは限りません。中には反対意見を述べる人もいるし、まったく違う意見を言う人もいます。そこで自分の意見だけを貫き通そうとすると、必ず議論はヒートアップしてしまいます。場合によっては、その光景を目にしていた第三者が、間違った情報を受け入れてしまったり、誤解をしてしまったり、自分が想定していなかった人の解釈まで変えてしまう恐れもあります。だからこそ、自分たちのコミュニケーションは常に第三者が見ていることを意識して、『聞く姿勢』を持ったうえで話し合いをすることが、全体最適化の良い決断を導き出すことにつながっていくのではないでしょうか」

「今の自分があるのは、これまでのすべての経験があったから」

――市長の仕事は多忙だと聞いています。膨大な仕事量をこなすために心がけていることはありますか。

「15分刻みで仕事が入っているので、その都度、気持ちを切り替えながら仕事をするようにしています。ただ、最近は人に仕事を任せることで、自分の仕事量をコントロールするように心がけてはいます」

――仕事を自分一人で抱え込まないようにしているということでしょうか。

「1期目はプレイングマネージャーのように、自分で決めて、自分で動くスタイルで公務を行っていました。でも期を追うごとに、このスタイルで仕事を続けることには、時間的にも精神的にも限界があることに気づいたんです」

――仕事の幅や考え方も狭くなってしまいますからね。

「最近は、やるべき仕事を周りの人に理解してもらい、その人のモチベーションを高めたうえで、仕事をお願いして調整するようにしています。さいたま市は約1万5000人の職員で構成される組織です。職員一人ひとりの能力を発揮してもらうことが、発展につながります」

――市長の仕事は、平日はもちろんのこと、土日も各地でイベントがあるので、そう簡単に休みは取れないと思います。少ない休みの時間で、どうやって気分転換を図られていますか。

「特別なことは何もしていません。ジョギングやウォーキング、映画鑑賞などして過ごしています。家族と散歩をして過ごすこともありますね」

――でも、市民に顔は知られているから、休みの日でも「あっ、市長さんだ！」とか言われたりして、気が休まらなかったりしませんか。

「多少はありますよ（笑）。特に食事の時はどうしても気を使ってしまいます。話す内容にもよりますが、行く店は限られてしまいますね」

――今の市長というポジションに、息苦しさを感じることはありませんか。

「そういう息苦しさもひっくるめて、今の仕事を楽しみながらやっているので、不満は特に感じません。市民の身近なことに取り組み、それが市政の評価にダイレクトに返ってくるので、今の仕事にはやりがいを感じています。生の反応がこれだけ感じられる仕事は、他にないと思います。そのせいか、大変だと思うことはあっても、大変だから仕事が辛いと思うことはないですね」

――そういう話を聞くと、市長はポジティブな性格の方なんだと思ってしまいます。

「楽天的なところはありますね（笑）。陽転志向というか、なんとかなると思ってしまうとか……寝て起きたらだいたいの悩み事は解消されていたりしますね。そのあたりのマインドコントロールも、ストレスを抱えずに仕事をするポイントだとは思っています」

――多くの関係者に取材をしていると、みなさん口をそろえて「清水市長は運のいい人だ」と言います。ご自身で運はいいほうだと思いますか。

「運はいいほうだと思います。ただ、昔からそう思っていたわけではありません。子どもの頃は家庭環境が恵まれているわけではなかったので、生きる希望や夢を持って生きている人が羨ましかったし、今の世界が嫌で生まれ変わりたいと思ったこともありました。でも、そういう時代を経験して、今の自分が形成されて、市長になれたことを考えれば、『運がいい』と思える自分になれたのも、これらすべての経験があったからこそだとは思います」

――今回の取材を通じて、市長の仕事はいろいろなところに気を使うし、精神的にもすり減らす業務が多いと感じました。政令指定都市のトップとして、自分にしかない特別な能力とは何でしょうか。

「そうですね……特にないと思います。私なんかよりも優れた人はたくさんいますし、仕事ができる人もいっぱいいます。私はごくごく普通の人間で、普通の感覚しか持っていないので、普通の政治をやることしかできません。私は、職員や市民、事業者のみなさんの協力や尽力のおかげで今の仕事を全うし、成果を上げることができました。職員や市民、事業者のみなさんには本当に感謝しています」

誰一人取り残さない街づくりを目指す

――さいたま市の今後の課題について教えてください。

「これから日本が迎える少子高齢化の社会の中で、行政にはより高いレベルの施策や事業展開が求められています。実は、さいたま市は『日本経済新聞』が行っている『全国市区SDGs先進度調査』で、全国792市と東京23区の中で『SDGs先進度1位』を2回連続で獲得していて、経済と社会と環境の3つのバランスが取れた街として評価されてい

ます。今後はその先進度にさらに磨きをかけていければ、と思っています」

――現在のさいたま市の取り組みを、時代の流れに合わせてさらにバージョンアップしていくということですね。

「今まで市民の『幸せ』を目指して街づくりをしてきましたが、この『幸せ』の質と量を上げて進化させていきたいと考えています」

――具体的に言うと？

「全国学力・学習状況調査によると、さいたま市の中学生は『自分に良いところがある』などの自尊意識の質問に対して、肯定的な回答をした生徒が90％に達しています。この数字は全国平均よりも11ポイント以上も高いんです。でも、裏を返せば、残り10％の中学生は、自己肯定感が高くないということになります。事実、ご飯も学校給食しか食べられないという子もいますし、貧困に苦しむ子もさいたま市にはいます。その子たちを取り残さない市政を運営していくことが、これからのテーマとして大事なことになっていくのではないかと思っています」

——誰一人取り残さない行政サービスを行うためには、何が必要なのでしょうか。

「コミュニティの再生だと思います。行政がすべてを把握するには限界があるので、市民のみなさんが地域に関わりを持って、地域のために役立っていることを生きがいに感じて、その楽しさを知ってもらうことが、これから行政がやっていかなくてはいけないテーマだと思っています。今、さいたま市で取り組んでいる『土曜チャレンジスクール』や『放課後チャレンジスクール』のように、地域の人たちが絆を強めていけば、そのエリアの困っている人の情報をいち早く吸い上げることができて、行政が素早くフォローに回れるようになると思います。そのためには、地域の人たちが支え合うコミュニティを、行政と市民が一緒になって、もっともっと強化していくことが、これからのさいたま市には必要なんだと思います」

——本日は貴重なお話、ありがとうございました。

おわりに

さいたま市を1年半かけて取材して、この街が人気都市になった大逆転の理由が、行政の涙ぐましい努力にあったことがよく分かった。

想像していたよりも泥臭いやり方で、職員とボランティアスタッフが現場を駆けずり回りながら、やっとこさっとこ手に入れたのが、政令指定都市における幸福度3位、住みたい街ランキング3位というポジションだった。

この点に関しては、千葉県民の一人として素直に敬意を表したいし、同時に、微妙な嫉妬心も芽生えてしまったのが、自分自身の本音の部分だったりする。

職員たちがもがき苦しみながらも、市民にとって最良の答えを見つけ出すために、日々必死に仕事をする姿は、小さな会社の経営者と従業員が、お客様のために必死に働く姿と被《かぶ》るところがあった。売上と利益を追求する姿と、住み心地や英語教育の充実度を数値目標に掲げて頑張る姿は、官民ともに大きく変わらない。

「都市間で競争することは無駄なことだ」

「住みたい街をランク付けするとは何事だ」

そんな外野の厳しい声も聞こえてくる。しかし、目標を掲げずに仕事を頑張れるほど、人の心は強くない。職業柄なのかもしれないが、人の幸せを数値化して目標にすることは、決して悪い施策ではないことは、今回の取材を通じて学んだことである。

さいたま市の職員は、住みよい街をつくるために、日々努力を重ね、市民と密なコミュニケーションを取り、熱意を持って業務に取り組んでいる。そして、その人たちと134万人の市民たちが、力を合わせて理想の街を一緒につくり上げているからこそ、多くの人にその魅力が伝わり、人口増につながっている。

日本が少子高齢化という大きな問題を抱えている今、さいたま市政の取り組みには打開策となるヒントがたくさんある。そして、首都圏屈指の人気都市へと成長した行政サービスの戦略には、民間企業が学ぶべきところが数多くある。今回、都市計画とは無縁の経営コンサルタントが、市政に切り込むという稀有なビジネス書を執筆することになったが、さいたま市から学んだブランディング戦略やマーケティング戦略、トップの考え方は、私にとって、一生の財産になった経営ノウハウだと断言してもいい。

私が住んでいる千葉県の某町は、人口減で学校の統廃合が進み、今は町内に小学校は4校、中学校が1校しかない、まさに少子化問題の最前線にある田舎町である。ファミレスは辛うじて1店あるが、牛丼屋はゼロ。一番近くのコンビニまで歩いて30分以上かかるし、自動販売機にジュースを買いにいくだけでも懐中電灯は手放せない。最寄り駅までは徒歩で1時間、その駅も1時間に電車が2本しか来ない、地の果てのようなところである。

当然、さいたま市のように行政サービスが充実しているわけではない。不便なことは山ほどある。本文でも触れたことだが、街にゴミ処理場がないため、ゴミ袋は高額。おまけに分別方法が複雑なので、高齢者の中にはゴミの分別ができなくなっている人が続出している。空き家も増え、人口の流出で自治会に入会する人も減少、このまま少子化が進めば、街のインフラが削られていくのも時間の問題である。

さいたま市の人からすれば、絶対に住みたくない街かもしれない。しかし、長くこの地に住んでいる私から言わせてもらえれば、不便だけど自然豊かだし、満員電車に乗ることもないし、物価も安いし、お金も使わないし、やはり「住めば都」というところがある。土地が安いので駐車場に車2台、バイク2台を停《と》めることができて、1時間も車を走らせれば、海の幸が豊富な太平洋がある。電車の本数は少ないが、成田空港までは車で20分。

新宿に出るよりも、もしかしたら飛行機で韓国のソウルに行くほうが早いかもしれない。そんな辺鄙《へんぴ》なところでも、住んでいる私からすれば、幸福度ナンバーワンの街なのである。

結局のところ、その街の住み心地が良いのか悪いかは、その街に住んでいる人でなければ分からないことである。さらに、住んで幸せかどうかは、その人の価値観で決まるところが大きいといえる。

その曖昧な評価の中で、さいたま市は幸福度の価値観をできるだけ多くの人と共有し、多くの人を幸せにすることができた街だといえる。一方、さいたま市に住めなかった人が幸福度を感じないのかといえば、そういうわけではなく、ただ単純に、長く住めばその街の良いところも悪いところもすべて受け入れるようになって、ほとんどの人が「幸せ」と思うのではないだろうか。たとえ、その街が1時間に電車が2本しか来ないようなところだったとしても。

最後に。本書の執筆にあたり、全面的に取材に協力してくださったさいたま市役所の職員のみなさんには、心より感謝を申し上げます。お忙しい中、何時間も話を聞くために拘束してしまい、「ありがとうございます」を通り越して、「申し訳ない」という気持ちが強くなってしまった今回の取材でした。

今思えば、答えにくい無茶な質問をたくさんしてしまい、本当に申し訳なかったと反省しています。行政のことがまったく分からない私に対して、嫌な顔ひとつせずに、丁寧に解説をしていただき、本書を執筆できたことは、みなさんの協力あってこそだと思っています。

また、取材に協力していただいた、さいたま市内の経営者、サラリーマンのみなさん、元さいたま市議、現役のさいたま市議の方、元新聞記者の方には、この場を借りて御礼させていただきます。本書が完成した暁には、大宮駅のナンギンあたりで一杯おごらせてください。

取材に協力していただいたさいたま市のみなさんが、千葉県の私が住む町へ来る機会がありましたら、お礼も兼ねて、町内をご案内させていただきます。

ファミレスが1店しかなく、牛丼屋もないような田舎町ではありますが。

2023年11月

竹内謙礼

【参考資料】

『全47都道府県幸福度ランキング2022年版』寺島実郎監修、日本総合研究所著（東洋経済新報社）
『全47都道府県幸福度ランキング2020年版』寺島実郎監修、日本総合研究所著（東洋経済新報社）
『全47都道府県幸福度ランキング2018年版』寺島実郎監修、日本総合研究所著（東洋経済新報社）
『全47都道府県幸福度ランキング2016年版』寺島実郎監修、日本総合研究所著（東洋経済新報社）
『理想都市への挑戦。さいたま市の創造』相川宗一著（関東図書）
『さいたま市誕生　知られざる真実』新藤享弘著（知玄舎）
『さいたま市誕生　浦和市・大宮市・与野市合併の記録』さいたま市総合政策部政令指定都市準備室編（さいたま市）
『わたしたちのさいたま市』社会科副読本編集委員会編（さいたま市教育委員会）
『政令指定都市　百万都市から都構想へ』北村亘著（中央公論新社）
『さいたま市の歴史と文化を知る本』青木義脩著（さきたま出版会）
『流山がすごい』大西康之著（新潮社）
『福岡市長高島宗一郎の日本を最速で変える方法』高島宗一郎著（日経ＢＰ）
『千の葉をつなぐ幹となれ　千葉市長10年を紐解く』熊谷俊人著（俊葉会）
『散歩の達人』２０２２年3月号「大特集　大宮・浦和　与野・さいたま新都心」（交通新聞社）

『この男、行動力。清水勇人　さいたま市長の政治の根っこを聞き解く』編著／絆プロジェクト（埼玉新聞社）
『さいたま市未来創造図　マイドリーム100年構想私案』清水勇人著（埼玉新聞社）
『さいたま市未来創造図２　スポーツで日本一笑顔あふれるまち』清水勇人著（埼玉新聞社）
『さいたま市未来創造図３　子どもが輝く絆で結ばれたまち』清水勇人著（埼玉新聞社）
『もっと身近に、もっとしあわせに　市民満足度90％超の都市へ』清水勇人著（埼玉新聞社）

〈著者略歴〉
竹内謙礼（たけうち　けんれい）
有限会社いろは代表取締役。1970年高知県生まれ・千葉県育ち。城西大学経済学部経済学科卒。出版社、観光施設の企画広報担当を経て、2004年に経営コンサルタントとして独立。楽天市場のほか、複数のネットビジネスで受賞歴あり。実店舗の集客や販促戦略、ネットビジネスを中心にしたコンサルティングに精通しており、個人事業主から大企業まで、幅広く販促ノウハウを提供している。全国各地の商工会議所や企業にて精力的にセミナー活動も行う。また、経済誌やWEBニュース等への寄稿のほか、日本経済新聞社『日経ＭＪ』において、毎週月曜日「竹内謙礼の顧客をキャッチ」を連載中。取材した企業は550社を超える。著書は『巣ごもり消費マーケティング』『ＳＤＧｓアイデア大全』（以上、技術評論社）、『逆境を活かす店 消える店』（日本ＢＰ）、『会計天国』（共著：ＰＨＰ研究所）、『訴訟合戦』（KADOKAWA）ほか。政治関連の著書のプロデュース等も行う。著書は60冊以上。

翔んだ！さいたま市の大逆転
“選ばれる都市”には理由がある

2023年11月15日　第１版第１刷発行

著　者　竹内謙礼
発行者　永田貴之
発行所　株式会社ＰＨＰ研究所
東京本部　〒135-8137　江東区豊洲5-6-52
ビジネス・教養出版部　☎03-3520-9615(編集)
普及部　☎03-3520-9630(販売)
京都本部　〒601-8411　京都市南区西九条北ノ内町11
PHP INTERFACE　https://www.php.co.jp/

組　版　有限会社メディアネット
印刷所
製本所　図書印刷株式会社

ISBN978-4-569-85593-6

PHP文庫

戦略課長

竹内謙礼／青木寿幸 著

銀行から出向してきたロボットの取締役と新規事業を任された美穂。二人は無事に事業を成功させられるのか？　おもしろ過ぎる投資学の本。

PHP文庫

猿の部長

マーケティング戦略で世界を征服せよ！

竹内謙礼／青木寿幸 著

ＭＢＡを取得した滝川は、猿が経済を牛耳る世界に迷い込んでしまう。滝川はマーケティングノウハウを駆使して、猿社会から脱出できるのか？

PHP文庫

相続仮面

竹内謙礼／青木寿幸 著

累計20万部突破シリーズの最新作！　遺言状作成から生前贈与、相続税対策まで、知れば得する⁉　異色の相続ノベル。幸せな遺産相続とは？

PHP新書

日本の新時代ビジョン

「せめぎあいの時代」を生き抜く楕円型社会へ

鹿島平和研究所／PHP総研 編

30年、変われなかった日本をいかに自己変革できるようにするか？ 国家の研究・提言を続ける2つのシンクタンクが世に問う。

PHPの本

道をひらく

松下幸之助 著

運命を切りひらくために。日々を新鮮な心で迎えるために――。人生への深い洞察をもとに綴った短編随筆集。50年以上にわたって読み継がれる、発行550万部超のロングセラー。